Deus não é seu ídolo

Deus não é seu ídolo

Um chamado para mudar o padrão de relacionamento com o Criador

ALEXANDRE MIGLIORANZA

Copyright © 2022 por Alexandre da Silva Miglioranza

Os textos bíblicos foram extraídos da *Nova Versão Transformadora* (NVT), da Tyndale House Foundation, salvo indicação específica.

Todos os direitos reservados e protegidos pela Lei 9.610, de 19/02/1998.

É expressamente proibida a reprodução total ou parcial deste livro, por quaisquer meios (eletrônicos, mecânicos, fotográficos, gravação e outros), sem prévia autorização, por escrito, da editora.

Edição
Daniel Faria

Revisão
Natália Custódio

Produção
Felipe Marques

Diagramação
Felipe Marques
Marina Timm

Colaboração
Ana Luiza Ferreira
Ricardo Shoji

Capa
Guilherme Match

CIP-Brasil. Catalogação na publicação
Sindicato Nacional dos Editores de Livros, RJ

M576d

   Miglioranza, Alexandre
     Deus não é seu ídolo : um chamado para mudar o padrão de relacionamento com o Criador / Alexandre Miglioranza. - 1. ed. - São Paulo : Mundo Cristão, 2022.
     128 p.

   ISBN 978-65-5988-106-2

     1. Idolatria. 2. Adoração (Religião) - Doutrina bíblica. 3. Vida cristã. 4. Deus - Adoração e amor. I. Título.

22-77068   CDD: 231.6
                                        CDU: 27-144.7

Meri Gleice Rodrigues de Souza - Bibliotecária - CRB-7/6439

Categoria: Espiritualidade
1ª edição: junho de 2022 | 2ª reimpressão: 2024

Publicado no Brasil com todos os direitos reservados por:

Editora Mundo Cristão
Rua Antônio Carlos Tacconi, 69
São Paulo, SP, Brasil
CEP 04810-020
Telefone: (11) 2127-4147
www.mundocristao.com.br

Sumário

Prefácio — 7
Introdução — 11

1. A idolatria — 15
2. Por que crer no Deus revelado na Bíblia? — 25
3. A construção da relação com Deus — 42
4. O desenvolvimento da relação com Deus — 54
5. Os obstáculos na relação com Deus — 69
6. Como restaurar a relação com Deus — 86
7. Da independência à reconciliação — 102

Conclusão — 119
Bibliografia — 123
Sobre o autor — 127

Prefácio

Quando um grupo de renomados teólogos alemães aderiu ao "Manifesto dos 93", escrito em apoio à entrada da Alemanha na Primeira Guerra Mundial, Karl Barth percebeu que havia algo fundamentalmente errado na teologia da época. Se o conhecimento teológico não evidenciava quão absurdas eram as motivações daquele conflito, então a teologia se achava num engano profundo. Pior que isso: a "teologia" (que Barth define como um "discurso sobre Deus") servia de justificativa para planos e ideias humanas. Quando falavam de Deus, na verdade, aqueles teólogos estavam falando de si mesmos.

O cristianismo cultural é formado por essa confusão entre o Criador e a humanidade, especialmente a confusão entre a voz de Deus e a voz do povo. E, nesse contexto, a teologia pode se tornar um discurso sobre o divino que tenta articular aquilo que o Senhor não disse para cumprir o que o ser humano deseja.

A solução de Barth foi a mesma dada antes dele pelo filósofo dinamarquês Soren Kierkegaard. Consideremos que não sabemos nada sobre Deus, que

Deus habita em uma nuvem de incognoscibilidade e que tudo o que podemos saber sobre ele é que o desconhecemos. Esse seria o ponto de partida de uma renovação teológica. Nós não somos Deus. Deus é, nas palavras de Rudolf Otto apropriadas por Barth, o *totalmente outro*.

Aos evangélicos contemporâneos, a ideia dessa alteridade absoluta parece uma heresia. Frequentemente, buscamos em Deus a confirmação das ideias, valores e moral que estimamos como mais sublimes. Ele é o máximo daquilo que nós consideramos bom. Deus está na prosperidade, na justiça, no trabalho duro, na família, na liberdade, na ordem etc. Deus age em nossa vida, em nossas lutas pessoais. Ele resolve nossos conflitos internos e nossos problemas externos. Seu lugar é do meu lado, não do outro lado do abismo da transcendência. O problema é que um Deus pensado como extrapolação de nós mesmos ainda é muito menor que o Deus revelado na Bíblia. Por mais elogiosas que sejam nossas projeções sobre o Criador, elas são falsas, pois só ele é a fonte de sua própria revelação.

Essa é a lição que aprendemos do segundo mandamento do Decálogo. No primeiro mandamento a idolatria é condenada: Não tenha outro Deus, porque só existe um, aquele que tirou você do Egito. Mas, no segundo mandamento, a Lei diz: Não faça imagem desse único Deus. O problema não é apenas escolher uma outra divindade para adorar, mas atribuir ao único Deus qualquer imagem ou sentido que ele mesmo não tenha revelado. Esse é, de fato, o primeiro pecado cometido pelo povo enquanto Moisés ainda estava sobre o Sinai. O bezerro de ouro confeccionado por Arão para adoração em Êxodo 32 não era a representação de um deus estrangeiro, mas uma tentativa de dar uma imagem ao invisível Eu Sou (Êx 32.4-5). O bezerro de ouro é uma quebra direta do segundo mandamento, uma formatação de Deus segundo uma imagem que não foi revelada por ele mesmo.

Quando limitamos o Criador a uma extrapolação de nossas particularidades, esculpimos os nossos bezerros de ouro. Chamamos de "Deus" uma imagem que não nos foi revelada. A adoração a esse ídolo nada mais é que uma celebração de nós mesmos. Sem a alteridade da divindade, estamos existencialmente sozinhos. Não há transcendência com quem podemos nos relacionar, apenas aspectos psicológicos da imanência.

Essa mensagem é importante para a igreja evangélica no Brasil de hoje. Depois de existir como uma comunidade contracultural por mais de um século, o protestantismo brasileiro hoje encontra-se bastante confortável em sua posição de privilégio político e relevância moral. Fala-se de uma cultura cristã a ser preservada, de uma moral familiar a ser defendida, de uma política conservadora a ser eleita em nome de Cristo. Esperamos um bem-estar econômico neste mundo, uma justiça institucional estabelecida, um entretenimento saudável, uma educação que não conflite com valores religiosos. Queremos nos cercar de Deus em todas as esferas, mas só multiplicamos os ídolos. Relacionamo-nos com as imagens que construímos, e não com aquele que nos tira da casa da escravidão.

Alexandre Miglioranza lembra-nos do relacionamento com o Deus real revelado nas Escrituras. Somos desafiados a romper com o ídolo que construímos, essa divindade que, não por acaso, tem a nossa cara. A vida que Deus tem para nós é construída numa relação com ele mesmo e exige que o encontremos fora de nós mesmos. Ele é o oleiro, nós somos o barro. Ele o viticultor, nós os ramos. Ele o mestre, nós os discípulos. Ele o Eu Sou, nós a criação feita à sua imagem.

Roger Olson diz que a obra de Barth foi uma bomba no *playground* dos teólogos de sua época. Acredito que o presente livro tem o mesmo potencial explosivo para a vida cristã de cada um de seus leitores. Abandonemos a idolatria e voltemo-nos a um verdadeiro relacionamento com o Deus Vivo.

CARLOS "CACAU" MARQUES
Pastor na Igreja Batista Vida Nova, em Nova Odessa (SP)

Introdução

Este livro é fruto do trabalho pastoral em uma comunidade local. Não se trata, portanto, de uma obra acadêmica ou de referência. Na verdade, esta obra é o resultado de algumas de minhas pregações realizadas na Igreja Batista de Montpellier, na França, entre 2018 e 2020, e de alguns encontros de aconselhamento pastoral.

Minha maior motivação para a produção deste livro é a consciência de ser, como diz meu amigo Rodrigo Bibo de Aquino,[1] um arauto do óbvio. O óbvio precisa ser dito e repetido. Na qualidade de pastor evangélico, peguei o hábito de ser repetitivo. E quando nos tornamos repetitivos sempre vale a pena deixar nossas ideias registradas. Durante a leitura deste livro, ficará perceptível que muitos conceitos são retomados e repetidos no exame dos diversos textos bíblicos propostos,

---

[1] Rodrigo Bibo de Aquino é o idealizador e editor-chefe do *podcast* de teologia BTCast, do qual tenho a alegria de participar desde 2013. O BTCast é um *podcast* semanal onde abordamos os diversos ramos do saber teológico com ênfase na teologia evangélica.

embora a época e o contexto literário de cada um desses trechos mudem. Mas não há problema nisso, pois Deus também ordenou a repetição regular de suas leis para seu povo.[2] E, ainda de acordo com o antigo provérbio latino, "*Repetita iuvant*", isto é, repetir nos ajuda a compreender melhor.

Para escrever este livro, ou melhor, para produzir o conteúdo das pregações que lhe deram origem, utilizei o método de exegese histórico-gramatical dos textos bíblicos. Isso significa que, para verificar a mensagem de determinado trecho da Bíblia, eu considerei o estudo do contexto histórico do texto, seu estilo literário, assim como o estudo etimológico de alguns termos-chave presentes nos textos em questão.[3] A meu ver, este é um passo importante, pois embora não possamos entrar na mente dos autores dos textos sagrados, podemos ao menos descobrir qual era o problema que o autor verificava no meio do povo de Deus, qual método usou para abordar esse problema e qual foi a

---

[2] Um dos grandes exemplos da repetição da lei de Deus para seu povo está em Deuteronômio 4.
[3] Embora eu tenha utilizado alguns dicionários bíblicos impressos, na maior parte das vezes acessei o *site* Bible Hub, <www.biblehub.com>. Trata-se de uma excelente ferramenta *on-line*, especialmente para a leitura interlinear da Bíblia, uma vez que nos fornece o texto desejado nas línguas originais. Ao clicar em cima de determinado termo, somos levados a um amplo acervo de dicionários sobre a utilização daquela palavra. A intenção é mostrar que um bom estudo do texto bíblico está ao alcance de todos.

solução proposta. Além disso, utilizei um pouco do saber filosófico e sociológico para analisar o comportamento humano, principalmente em relação ao divino e ao sagrado na resolução de seus problemas pessoais e existenciais. A intenção é compará-los com aquilo que a Bíblia ensina sobre o assunto. Acredito que causará surpresa verificar que mesmo autores considerados, ou que se consideravam, ateus afirmam uma concepção justa do que seja o relacionamento do ser humano com a divindade. Do mesmo modo, não creio que possamos fechar os olhos para algumas das críticas que eles fizeram à religião ou mesmo ao cristianismo.

Em termos da estrutura do texto, isto é, a forma como os argumentos são apresentados e desenvolvidos, aproveitei o formato da pregação expositiva na transmissão de cada uma das pregações. Obviamente, adaptei o texto falado para a linguagem escrita, ainda que mantendo o mesmo padrão expositivo.[4]

O livro começa, no capítulo 1, pela definição do que é idolatria e a razão pela qual a humanidade criou e manteve ritos religiosos. Em seguida, no capítulo 2, apresento alguns motivos pelos quais devemos almejar um relacionamento com Deus de acordo com

[4]Aqui eu indico duas boas referências na preparação de pregações expositivas que me ajudaram e ainda ajudam bastante: Haddon Robinson, *Pregação bíblica: O desenvolvimento e a entrega de sermões expositivos* (São Paulo: Shedd Publicações, 2003); James Braga, *Como preparar mensagens bíblicas* (São Paulo: Vida, 2005).

Deuteronômio 5.6. Após a apresentação de algumas compreensões que Deuteronômio nos traz a respeito de Deus e de nós mesmos, eu mostro, no capítulo 3, o que Salmos 46.10 nos ensina sobre a construção do relacionamento com Deus. Assim, uma vez que aprendemos como a relação com Deus se constrói, passamos, no capítulo 4, ao desenvolvimento dessa relação a partir do Salmo 3. Mas o relacionamento entre Deus e a humanidade passa por certas dificuldades. Esse é o objeto de estudo do capítulo 5, em que analiso alguns de tais obstáculos de acordo com Isaías 1.1-20. O livro segue no capítulo 6 descrevendo a restauração do relacionamento entre Deus e seu povo após as rupturas causadas pelo ser humano segundo o texto de Miqueias 6.6-8. E, finalmente, concluo o livro no capítulo 7 com a apresentação do convite de Deus ao ser humano para sua restauração e o abandono de sua independência com base em Oseias 14.1-9.

Como se pôde perceber, o livro é formado apenas por textos do Antigo Testamento. Minha intenção é mostrar que o AT é muito mais do que um conjunto de leis religiosas válidas apenas para o povo de Israel em uma época específica ou apenas narrativas que contam a história do povo de Deus. O Antigo Testamento contém os fundamentos da relação pessoal entre Deus e seu povo.

Boa leitura, e que o Senhor nos abençoe e nos guarde.

Montpellier, inverno de 2021

1
A idolatria

Por que você, cristão, crê no que crê? Por que crê no Deus que foi revelado na Bíblia? O que torna o Deus da Bíblia o verdadeiro Deus? Alguns dirão que, no fim das contas, todas as crenças se referem ao mesmo deus, apesar das diferenças culturais. A única distinção seria, talvez, o nome que lhe é dado nas mais diversas manifestações religiosas.

O papel da religião na existência humana

Mas por que crer em um deus? Qual a utilidade da religião? No mundo antigo, a religião tinha um papel fundamental e se baseava em um conceito bastante pragmático. O psiquiatra suíço Carl Jung afirma que a religião é, sem dúvida, uma das expressões mais antigas e universais da alma humana.[1] Podemos também afirmar que, para as sociedades antigas, as forças da natureza eram representadas por diversos deuses.

[1] JUNG, *Psicologia e religião*, p. 7.

Como os povos dependiam grandemente dos fenômenos naturais para viver, eles adoravam os deuses que supostamente controlavam tais fenômenos, esperando um retorno pelo culto oferecido. Essa era a garantia para ter boas colheitas e não morrer de fome. Além disso, aqueles povos não sabiam qual era a vontade de seus deuses. Por isso, os ritos religiosos visavam aplacar a ira constante desses deuses e convencê-los a dar-lhes todos os meios necessários para que suas plantações pudessem frutificar. O sistema religioso, em geral, consistia na manipulação da vontade dos deuses que comandavam os processos da natureza.[2] Em vez de uma relação pessoal com tais deuses, havia apenas o que poderíamos chamar de uma relação mercadológica. Os deuses não eram a finalidade última na vida desses povos, mas tão somente um meio para obter desejos e necessidades. Em última análise, a religião dos povos antigos servia como um tipo de seguro para a obtenção de uma dádiva divina para benefício próprio.

Ademais, havia uma forte percepção comunitária, pois todo o povo deveria unir-se na adoração dos deuses, sob o risco de privar a comunidade do favor divino. Em razão disso, todos deveriam estar atentos para preservar o *status quo* da sociedade, pois disso dependia a sobrevivência geral. Dessa forma, a experiência da religião nas sociedades antigas criou um tipo de

---

[2] WALTON et al., *Comentário histórico-cultural da Bíblia*, p. 45.

moralidade baseada na necessidade de sobrevivência.[3] Não é nosso objetivo aqui fazer um tratado sobre religiões comparadas. Todavia, podemos verificar que, embora a forma das práticas religiosas tenha mudado ao longo dos séculos, assim como seu objetivo primeiro, o processo religioso manteve alguns aspectos básicos. Um deles é a moralidade social. Evidentemente, essa moralidade social não tem as mesmas características das antigas religiões, porém conserva seu papel comunitário de definir as regras sociais a partir dos conceitos religiosos.

Um dos maiores teóricos da religião como uma moral social é o filósofo prussiano do século 18 Immanuel Kant. Sob o risco de simplificar demasiadamente, poderíamos dizer que a moral em Kant é realizada pelo estrito respeito ao dever. Por exemplo, eu não devo matar por medo das consequências do crime, mas simplesmente porque isso não deve ser um ato voluntário de minha consciência. Nesse caso, Deus é o meio para concretizar a possibilidade de felicidade para o ser humano em busca de um sentido de vida.[4] Em outras palavras, Deus é o ente no qual a aspiração da felicidade do ser humano se realiza, e os princípios religiosos servem apenas para balizar a sociedade sobre uma conduta moralmente boa, gerando a felicidade.[5]

---

[3] WALTON, *Ancient Israelite Literature in its Cultural Context*, p. 240.
[4] ZILLES, *Filosofia da religião*, p. 54.
[5] Ibid., p. 57.

Note-se que não há aqui um relacionamento pessoal com Deus. Nessa formulação, Deus não passa de uma ideia comportamental para balizar a moral social. Ou seja, o conceito de Deus e as práticas religiosas são necessárias apenas para manter os bons costumes na sociedade para que ela se sinta feliz. Alguém poderia então se perguntar: uma vez que a moral social é boa e pode regular o comportamento dos indivíduos para o bem comum, por que não usar a religião como um delimitador comportamental para a sociedade? O primeiro problema desse raciocínio é que, como cristãos, poderíamos concluir que apenas o cristianismo pode servir como regulador social, desconsiderando a existência de outras formas religiosas e ocasionando uma série de conflitos culturais. O segundo problema é reduzir o cristianismo a um regulador social. "Ah, que bom seria se todos fossem cristãos em nossa sociedade! Viveríamos todos em paz!" Surge então um terceiro problema: o esvaziamento da transcendência, isto é, desconsidera-se a presença espiritual de Deus. Isso quer dizer que a mudança de vida de alguém estará restrita somente à esfera comportamental, pois nega-se o elemento sobrenatural, uma vez que tudo passa a ser materialmente observável, como é o caso da moralidade social.

Nesse esquema, o ser humano ainda continua como o único alvo possível do processo religioso, a fé fica subordinada à moralidade, e Deus não passa de mais uma engrenagem reguladora da sociedade. E, uma vez que a transcendência é esvaziada, quando Deus se torna apenas uma desculpa para um bom comportamento, chega-se à conclusão de que a moralidade é fruto dos esforços do ser humano, e não da ação de Deus.

Por outro lado, Ludwig Feuerbach, no século 19, afirmava que o objeto religioso se encontra dentro do próprio ser humano, e pode até mesmo equiparar-se com sua consciência. Isso significa que quando as pessoas adoram um deus qualquer, em última análise elas exprimem um desejo oculto de seu próprio coração. A realização religiosa do ser humano seria, na verdade, a exteriorização de sua consciência, ou ainda a exposição do entendimento que o ser humano tem de si mesmo.[6] Em outras palavras, o ser humano é aquilo que ele adora, pois o suposto deus adorado é o desejo oculto em sua consciência. Deus torna-se a vontade humana de viver e não um outro ser que se coloca diante do ser humano.[7] Feuerbach reitera essa ideia e sustenta que se o ser humano não tivesse desejos ou necessidades, não haveria religião alguma. Em outros termos, a humanidade crê em um deus porque deseja ser feliz.[8]

Assim, o ser humano contesta Deus cada vez mais a fim de se autoafirmar como independente. Para isso, reconhece que a religião existe, mas que apenas o ser

---

[6] FEUERBACH, *A essência do cristianismo*, p. 44-45.
[7] BARTH, *La théologie protestante au dix-neuvième siècle*, p. 329.
[8] ZILLES, *Filosofia da religião*, p. 113.

humano é seu começo, meio e fim.[9] Antes, porém, de criticarmos Feuerbach, pensemos por um instante no teor de nossas orações. Qual é a razão última pela qual fechamos os olhos e dizemos o que dizemos? O que estamos querendo conseguir? Qual é o desejo mais puro de nossa alma quando nós o verbalizamos em forma de oração?

Essa breve análise nos permite observar que o sistema religioso tem por finalidade preencher o vazio existencial do ser humano. A religião e suas práticas servem para assegurar uma tranquilidade de consciência. Isto é, em um primeiro momento, a humanidade recorre aos rituais religiosos para garantir sua existência, pois é incapaz de controlar as forças da natureza. Depois, já em um estágio mais avançado de sua consciência existencial e científica, recorre ao âmbito religioso para certificar o bom comportamento na sociedade. Por essa razão, de um jeito ou de outro, o ser humano é sempre o alvo do processo religioso. Não há, nesse caso, uma experiência religiosa genuína, uma vez que o plano sobrenatural foi substituído pelas atitudes naturais do ser humano.[10] A divindade é apenas um instrumento, um meio para que a humanidade seja contemplada nas ações religiosas, cujo centro é ela própria.

---

[9] BARTH, *La théologie protestante au dix-neuvième siècle*, p. 330.
[10] ROSA, *Psicologia da religião*, p. 57.

O conceito de idolatria

A esta altura podemos introduzir o conceito de idolatria. Num sentido geral, a idolatria é compreendida como a adoração de imagens ou de objetos sagrados. Entretanto, a idolatria tem menos a ver com a atitude de alguém diante de uma estátua do que com sua condição existencial. E tudo começa com aquilo que vimos no tópico anterior, isto é, o instinto de sobrevivência e de pertencimento social do ser humano.

O instinto de sobrevivência é necessário, pois desde muito cedo o ser humano constatou que o mundo é um lugar hostil. A consciência humana desenvolveu um mecanismo para se proteger contra a ameaça da falta de chuva para suas plantações, do não atendimento de seus desejos mais básicos. Esse mecanismo é a religião. A religião, por sua vez, reorganizou a percepção da realidade do ser humano, criando um mundo de felicidade que compensa a angústia da incerteza diante das ameaças da vida.[11]

Essa nova percepção da realidade criada pela religião favorece a ocupação do espaço, mas desconsidera o fator tempo. Dessa forma, a divindade de determinado sistema religioso não existe no tempo, mas apenas no espaço. Isso quer dizer que os valores de uma religião devem ocupar necessariamente um lugar definido. É como se uma divindade conquistasse terreno contra

[11] Alves, *O enigma da religião*, p. 5.

outras divindades. Daí o espaço dedicado aos deuses dos sistemas religiosos. O problema é que, nesse caso, a divindade só existe no espaço, mas não no tempo. Esse problema é o princípio da idolatria: o ser humano se torna consciente de sua finitude temporal e precisa de um espaço para manifestar seus desejos. Ele age assim por saber que o espaço pode ser controlado, mas não o tempo. Consequentemente, projeta seus desejos nas divindades que ocupam um espaço mas não estão inseridas no tempo, uma vez que seus desejos são temporais.

Além disso, como afirmou o filósofo do século 18 David Hume, a proximidade entre o espaço e o tempo é uma circunstância exigida para a operação de todas as causas, nas quais o tempo tem a prioridade.[12] Ora, o ser humano carece justamente do domínio do tempo. Por isso, não consegue elevar-se à categoria de divindade, visto que seus desejos se manifestam apenas no espaço mas não no tempo, uma vez que mudam de acordo com a época. Eis por que a idolatria é falha.

De fato, a mesma coisa se passa com o moralismo, que nada mais é que uma forma de idolatria, no sentido de desejar controlar o comportamento da sociedade por meio de conceitos religiosos. O próprio Sócrates, na Grécia antiga, já condenava o uso dos deuses para impor à sociedade a escravidão política e moral, que segundo ele era pior do que a escravidão social.[13]

---

[12] Hume, *Resumo de um tratado da natureza humana*, p. 57.
[13] Platão, *Apologia de Socrátes*, p. 13.

O que se verifica é que, a partir do momento em que o cristianismo buscou ganhar espaço público, ele foi absorvido pela cultura e morreu. Isso se deve ao esvaziamento da transcendência, isto é, a rejeição da ação direta de Deus no mundo. Com isso, o conceito de experiência religiosa é ignorado e o ser humano continua preso à idolatria, visto que se atribui um valor infinito à moralidade que se constitui como um valor humano válido tão somente para uma época e um lugar definidos.[14]

Esse desejo de atribuir valor infinito a coisas finitas é compreensível, uma vez que o sagrado sempre representou o poder para o ser humano. O poder do sagrado moldava e controlava a realidade humana. Justamente por moldar e controlar a realidade, o sagrado é pleno de ser. Isso pode explicar a razão pela qual o ser humano deseja ser uma divindade. O ser humano deseja ser plenamente, ele deseja poder controlar sua própria realidade.[15]

Assim, comprova-se o que Hume afirmou sobre a tendência natural da humanidade de mover-se da idolatria para o monoteísmo e do monoteísmo para, novamente, a idolatria.[16] De acordo com Hume, a origem da idolatria está no incômodo do ser humano com a abstração dos objetos de sua própria realidade, por

---

[14] Rosa, *Psicologia da religião*, p. 233.
[15] Eliade, *O sagrado e o profano*, p. 14.
[16] Hume, *História natural da religião*, p. 71.

isso sua imaginação representa-os como seres inteligentes e sensíveis, como os seres humanos, movidos pelo amor e pelo ódio, suscetíveis a oferendas, súplicas e sacrifícios.[17]

---

[17] Ibid., p. 72.

2
Por que crer no Deus revelado na Bíblia?

> Eu sou o Senhor, seu Deus, que o libertou da terra do Egito, onde você era escravo.
>
> Deuteronômio 5.6

Tendo em mente as necessidades existenciais do ser humano apresentadas no primeiro capítulo, o que torna, então, o Deus bíblico diferente das demais divindades? A resposta está no livro de Deuteronômio. Trata-se de um livro de extrema importância, pois marca a renovação da aliança de Deus com seu povo. Após mais de quatro séculos de escravidão no Egito, e após a longa caminhada de quarenta anos pelo deserto do Sinai, o povo de Israel prepara-se para entrar na terra prometida. Não antes, porém, da renovação do desejo de Deus de ter um relacionamento pessoal com seu povo. É necessário que o povo tenha consciência de quem Deus é e qual é o estado do relacionamento entre eles.

Assim, para marcar a nova condição histórica do povo de Israel, Deuteronômio expõe novamente a Lei, apresentada em forma de discursos ou sermões. O livro não apenas explica os mandamentos divinos, mas também apela à consciência individual e coletiva dos israelitas para que vivam a plenitude do relacionamento com o Deus que os livrara da escravidão.[1] A Lei, consequentemente, é mais do que um conjunto de regras fixas que moldam o comportamento social de um povo. Ela é o código de conduta da aliança de Deus com seu povo, a constituição que guia os diversos tipos de relacionamento dos israelitas. Os relacionamentos descritos em Deuteronômio são tanto imanentes quanto transcendentes, ou seja, o livro descreve as relações do povo uns com os outros e também com Deus. Muito mais do que impor um comportamento moral mecânico, Deuteronômio chama o povo de Israel ao amor fiel a Deus expresso pela obediência à Lei.[2]

A proibição à idolatria

O livro de Deuteronômio trabalha com as categorias da consciência e do amor do povo de Israel. Por isso, espera-se uma resposta do povo de Israel por meio de ações concretas. Essas ações, conjugadas com a consciência e o amor, mostram que o povo está pronto

---

[1] ARCHER, *Introduction à l'Ancien Testament*, p. 285.
[2] PINTO, *Foco e desenvolvimento no Antigo Testamento*, p. 180.

para assumir as responsabilidades e consequências dos mandamentos de Deus. Presume-se que os israelitas são capazes de compreender e praticar aquilo que é pedido. Aliás, é exatamente a faculdade da compreensão e da assimilação dos mandamentos que nos permitem distinguir a obediência e a desobediência.[3] Daí a responsabilidade do povo de Israel na vivência do relacionamento com Deus. A consciência e a responsabilidade do povo são o suporte para seu relacionamento cotidiano com o Deus criador e libertador. É necessário que o ser humano tenha consciência de quem é Deus e de quem ele próprio é.

O texto de Deuteronômio 5.6 é fundador na questão do desenvolvimento da consciência e da responsabilidade do povo diante de Deus. "Eu sou o SENHOR, seu Deus, que o libertou da terra do Egito, onde você era escravo." Esse texto nos permite refletir sobre a natureza de Deus e do ser humano, assim como os mecanismos que impedem que a humanidade faça de Deus um ídolo. De igual modo, o texto nos fornece um entendimento sobre o mundo no qual vivemos e o caminho que percorremos em nossa vida.

Do ponto de vista literário, o lugar onde se encontra esse texto, no quadro global da Bíblia e da história do povo de Israel, é de grande importância. Ele se situa após a recapitulação da história de Israel com Deus, quando Moisés reúne todo o povo para lembrá-lo do

---

[3] WESTERMANN, *Dieu dans l'Ancien Testament*, p. 26.

que Deus fizera em favor deles até aquele momento. Moisés, então, apresenta a aliança de Deus com o povo e reafirma sua presença entre os israelitas. O relacionamento pessoal de Deus com seu povo ao longo da história é ratificado na nova geração.

Por outro lado, esse texto aparece antes dos Dez Mandamentos. Trata-se de um dado importante, pois o Decálogo apresenta os pilares fundadores da relação do ser humano com Deus e com o próximo. Assim, antes de apresentar os dois eixos do relacionamento humano, Deuteronômio 5.6 instala as bases do que se deve saber sobre Deus, sobre o ser humano e sobre o mundo ao redor. É como se Deus dissesse ao povo: "Uma vez que eu sou o Senhor, seu Deus, e os tirei da terra do Egito, *então* não tenham outros deuses diante de mim, não façam imagens de escultura, não façam isto nem aquilo...", isto é, os demais mandamentos que vêm logo em seguida.

Esse texto, portanto, está fundado sobre a ação histórica de Deus no meio de seu povo e serve de base para os Dez Mandamentos. Além disso, coloca cada um dos personagens citados em seu devido lugar, apresentando Deus como o Senhor e Salvador e os seres humanos como limitados e incapazes de se salvar, visto que eram apenas escravos.

Isso faz toda diferença quando compreendemos que, conforme vimos anteriormente, ao longo da história a humanidade criou ídolos sobre os quais ela projetou suas vontades e desejos. Concluímos, então, que esses ídolos eram limitados pela vontade humana e que os deuses agiam de acordo com o desejo humano. Os deuses pagãos eram, em última análise, escravos da vontade humana, da mesma forma que as religiões pagãs também possuíam ritos para controlar e manipular a vontade de seus deuses. O processo de manipulação da divindade era necessário, pois os povos pagãos jamais sabiam qual era a vontade de tais deuses e se estavam ou não cumprindo essa vontade. Consequentemente, o clima de medo e de insegurança era constante entre as pessoas, que ficavam à mercê daqueles que tinham os meios para controlar o humor divino.

Assim, os rituais religiosos visavam primariamente obter benefícios pessoais e psicológicos, e não necessariamente um relacionamento pessoal com os deuses. A idolatria, portanto, não tem tanto a ver com a adoração de imagens propriamente dita. Contudo, toda vez que o desejo humano é sacralizado e projetado sobre uma possível divindade, que deve supostamente atender a seus desejos e reivindicações, estamos diante de um caso de idolatria.

Durante o processo de tomada de consciência dos israelitas de quem eles próprios eram, e de quem Deus era, Deus cria mecanismos que impedem que ele se transforme em um ídolo para seu povo. Mas como isso pode acontecer? Como podemos transformar o Deus da Bíblia em um ídolo se afirmamos que ele é o Deus único? Todas as vezes que projetamos nossos desejos e vontades sobre Deus, nós o transformamos em um ídolo.

O Novo Testamento nos dá ao menos dois importantes exemplos de como isso pode ocorrer. O primeiro se encontra em Lucas 9.51-56. Nessa narrativa, os discípulos querem mandar fogo do céu sobre os habitantes de uma vila, uma vez que estes não quiseram receber Jesus. É um exemplo claro de como imaginavam poder manipular a vontade de Deus para executar a vontade que eles tinham de exterminar aquele povo. O segundo exemplo está em Tiago 4.3, quando o apóstolo afirma que aquilo que pedimos serve apenas para nosso próprio prazer. Se esperamos que Deus execute somente aquilo que desejamos, nós criamos um deus à nossa imagem e semelhança.

A compreensão de quem é Deus

Até este momento, vimos quem ou o que Deus *não* é, ou seja, uma divindade sujeita à manipulação para executar a vontade humana. Entretanto, Deuteronômio 5.6 traz uma afirmação relevante sobre o verdadeiro caráter de Deus.

O texto começa descrevendo quem está falando. A utilização do nome YHWH, aqui traduzido por "Senhor", é sugestiva, pois esse nome está diretamente ligado ao momento decisivo da comunicação de Deus com seu povo.[4] Isto é, a utilização do nome YHWH ocorre no mesmo momento de uma grande mudança

---

[4] Eichrodt, *Teologia do Antigo Testamento*, p. 161.

identitária e histórica na vida do povo de Israel. Não é por acaso, portanto, que o autor de Deuteronômio utiliza o nome YHWH, derivado do verbo "ser" em hebraico, que significa "ele é", "ele existe" ou "ele está presente".[5] Esse texto destaca, assim, a presença de Deus no meio de seu povo, como um Deus que está acima do próprio tempo mas que entrou no tempo e se manifestou na história de sua criação. Ao se manifestar como a divindade que está além do tempo, Deus mostra aos israelitas que eles jamais poderiam manipulá-lo, pois, conforme dissemos no capítulo 1, o ser humano não é capaz de controlar o tempo. Ora, se não pode controlar o tempo, também não pode controlar a Deus, que não está circunscrito ao tempo.

O nome YHWH exprime a ideia de vida como presença real e constante. Consequentemente, o nome de Deus está repleto de eternidade, em oposição ao caráter passageiro de todas as coisas criadas.[6] Devido à presença real e constante de Deus no meio de seu povo, a realidade na qual os israelitas vivem é o constante impacto da presença eterna do Deus eterno.[7] E, embora ele se revele como o Deus eterno, fora do tempo, Deuteronômio mostra igualmente que ele rompeu as barreiras do tempo para se manifestar no meio de criaturas mortais e temporais.

---

[5] Ibid., p. 164.
[6] JACOB, *Théologie de l'Ancient Testament*, p. 41.
[7] EICHRODT, *Teologia do Antigo Testamento*, p. 165.

Além disso, ele se apresenta como o Deus soberano que livra seu povo da escravidão. Dessa forma, YHWH entra na história para emancipar seu povo, pois agora os israelitas podem pensar em sua própria condição humana, em sua consciência de estar diante de Deus, bem como na possibilidade de seguir novos caminhos.[8] Agora eles são livres para viver sua história.

Assim, Deus demonstra seu caráter de salvador, livrando seu povo da escravidão e não deixando sua criação ao acaso. O Deus soberano da história se revela a um povo oprimido e escravizado, em oposição aos deuses pagãos que se revelavam apenas aos reis e poderosos de seu tempo. Ao contrário dos povos pagãos que haviam escolhidos seus deuses, no caso do povo israelita foi Deus quem escolheu permanecer em meio a um povo frágil, que ocupava o último lugar na esfera social.

A compreensão de quem nós somos

Além de trazer à tona a verdadeira compreensão de quem é Deus, Deuteronômio 5.6 leva igualmente o povo a refletir sobre sua própria condição. A primeira compreensão do povo em relação a si mesmo deve ser a tomada de consciência de sua incapacidade. Eles permaneceram na condição de escravos durante mais de quatrocentos anos. Qual era a motivação de vida de um povo que viveu quatro séculos como escravos em uma

---

[8] Silva, "O sentido e significado sociológico de emancipação".

terra estranha? O que uma geração poderia ter ensinado à outra? O que poderiam conhecer sobre o Deus de seus ancestrais? Durante esses mais de quatro séculos de trabalhos forçados, qual era sua fonte de reflexão sobre sua situação, ainda mais quando seus opressores, os egípcios, os consideravam seres inferiores?[9]

A compreensão da liberdade, de si mesmo e de Deus, não é simples. O povo havia perdido o controle sobre a própria história;[10] era apenas uma engrenagem destituída de pessoalidade na sociedade egípcia. Isso quer dizer que os israelitas não possuíam consciência do mundo onde habitavam. O povo de Israel, naquele momento histórico, não tinha capacidade para interpretar o novo mundo que se abria à sua frente. Tudo era incerto.

O resultado da falta de elementos para a compreensão de quem eles eram, onde estavam e para onde iam é o desejo de voltar à antiga vida de escravidão no Egito. Embora as condições de vida fossem difíceis física e socialmente, ali era onde eles se reconheciam, mesmo que sua pessoalidade estivesse anulada. Nesse sentido, a liberdade que Deus lhes propunha era assustadora, pois cada indivíduo do povo deveria agora se reinventar a partir da libertação concedida por Deus.

Quando YHWH se revela aos israelitas e lhes diz que é o Deus deles, afirma que eles possuíam dignidade.

---

[9] WALTON et al., *Comentário Bíblico Atos: Antigo Testamento*, p. 78.
[10] SILVA, "O sentido e significado sociológico de emancipação".

Embora fossem um povo escravizado, eram o seu povo. Tratava-se de um Deus diferente dos deuses do Egito, pois estes podiam ser manipulados pelos sacerdotes religiosos para realizar a vontade dos reis e poderosos. Já o Deus que se apresenta aos israelitas não pode ser manipulado. Ele se apresenta ao povo de Israel não como um deus utilitário, por meio de quem poderiam obter coisas, mas como a finalidade última da vida. O sentido da vida do povo é pertencer a Deus. Consequentemente, Deus devolve ao povo sua dignidade humana e ao mesmo tempo estabelece os limites da relação entre eles. Isto é, YHWH não havia libertado os israelitas para lhes satisfazer as vontades, mas para estabelecer um relacionamento pessoal. Por isso, a razão de ser do povo é o relacionamento com YHWH, o Deus que é.

A fé cristã mostra nossa verdadeira situação e onde nos encontramos. Mostra nossa situação de afastamento de Deus. Em contrapartida, o sistema de valores do mundo sempre buscará o esvaziamento da dignidade que o próprio Deus criador conferiu ao ser humano. A fé cristã se opõe a esse sistema, para que o ser humano tenha sua dignidade restabelecida e sua razão de existir seja o relacionamento com o Deus criador e soberano.

O ser humano tem a capacidade de responder a seu Criador. Sua dignidade não provém de sua capacidade de se olhar em um espelho e se reconhecer alguém, mas da capacidade de responder e reagir ao chamado que o Criador lhe faz.[11] Por isso, a dignidade humana não é resultado de mérito pessoal, mas do fato de que Deus criou os seres humanos para que fossem capazes de interagir com ele.

A compreensão do mundo à nossa volta

A terceira compreensão que Deuteronômio 5.6 apresenta é a consciência do mundo no qual vivemos.

Naquele momento histórico, o povo de Israel sabia de onde vinha e para onde estava indo. Saía de uma condição de vida degradante, que anulava sua dignidade humana, e caminhava em direção à terra prometida em plena liberdade. Logo, conhecia sua origem e conhecia seu destino. Ainda assim, pelos motivos que já mencionamos, desejava voltar para a antiga situação de escravidão.

Nessa situação, a vontade de Deus se sobrepôs à vontade humana. A vontade divina é superior à vontade humana, pois o Deus eterno e soberano quer que sua criação seja livre e viva plenamente sua dignidade. Sua vontade não está submissa à vontade humana, visto que YHWH não se deixa manipular, mesmo que os israelitas quisessem voltar para sua antiga casa. O texto em hebraico diz literalmente que o povo de Israel foi tirado da "casa da servidão". Isso é significativo, pois o termo hebraico para casa, *bayith*, está ligado a lar,

---

[11] WOLFF, *Antropologia do Antigo Testamento*, p. 134.

família, habitação e refúgio, todos estes termos relacionados a proteção individual e convivência familiar. Nosso lar é onde podemos ser nós mesmos. Talvez o texto bíblico queira mostrar quanto os israelitas se habituaram a uma vida desprovida de identidade e liberdade sem estarem conscientes disso. A casa da servidão era seu lar, sua identidade.

É nesse ponto que o povo de Israel começa a sentir as tensões entre o Ser Infinito e Soberano e seres finitos e limitados. Enquanto as relações dos demais povos e seus respectivos deuses eram mecânicas e artificiais, o relacionamento entre os israelitas e YHWH se dava em meio a muitos conflitos. Esse choque acontece, pois o efêmero está colocado diante do eterno e o limitado, diante do soberano. Existe necessariamente uma crise entre a vontade divina e a humana. Isso se evidencia quando o povo pede para voltar para a casa da servidão.

Entretanto, a vontade de Deus é que seu povo seja livre, que compreenda a si mesmo, compreenda o mundo que os cerca e compreenda seu Criador e Libertador. Há uma tensão quando o ser humano se encontra diante de Deus, pois o ser humano teme. Ele teme em razão de se descobrir limitado e finito diante do Deus eterno e soberano, de se descobrir incapaz de salvar a si mesmo.

No Novo Testamento encontramos um exemplo bem claro do choque entre o limitado e finito diante do eterno e soberano. Pedro, após o episódio do milagre da pesca em Lucas 5, vive uma grande tensão ao se descobrir pecador diante de Jesus. Sua reação é pedir que Jesus se afaste dele. Contudo a resposta de Jesus para Pedro é surpreendente: ele diz a Pedro que não tenha medo. O que Jesus faria com Pedro é tirá-lo de seu lugar, libertá-lo de sua condição sem consciência de si mesmo e do mundo no qual vivia, a fim de transformá-lo. O ser humano não é mais o mesmo quando se encontra diante de Deus. E tudo começa pela consciência da tensão que se produz entre o ser humano e Deus. Essa tensão é importante, pois evita que o relacionamento com Deus seja mero fruto da sugestão do grupo ou o resultado da imitação de um comportamento adquirido, como se não passássemos de robôs.[12]

Assim, o ser humano toma consciência de sua limitação, de que é pecador e incapaz, e teme as novas possibilidades que Deus lhe pode apresentar, visto que Deus o liberta da casa da servidão.

A compreensão do caminho percorrido

Em Deuteronômio 5.6, descreve-se igualmente um movimento. Esse movimento parte de uma terra estrangeira, de uma situação de escravidão, em direção à terra prometida e à liberdade. Deus está na origem desse movimento. No início, o povo não tinha

---

[12]Rosa, *Psicologia da religião*, p. 136.

nenhuma dignidade, nenhuma liberdade, nenhuma expectativa, e agora caminha inserido em um relacionamento pessoal com Deus. O povo havia sofrido o movimento para fora da casa da servidão, não apenas para mudar seu *status* social, mas para viver uma relação pessoal com YHWH.

Nesse momento, o povo sabia qual era sua origem e também seu destino. Não sabia, entretanto, como seria o caminho a percorrer entre a saída da casa da servidão e a entrada na terra prometida. Quais eram as condições do caminho? O que aconteceria durante o trajeto? Qual seria o desenrolar do relacionamento entre o finito e o infinito?

A primeira coisa que notamos nesse processo é que a condição de escravidão do povo é mencionada sempre no passado, enquanto YHWH é sempre mencionado no presente de sua condição eterna. Isso significa que a posição diante do infinito havia alterado a condição existencial do finito antes mesmo do início da caminhada. Portanto, o povo integrará o caminho em sua nova circunstância de vida, dignidade e identidade. O povo que não possuía nenhuma perspectiva viveria agora, ao longo de todo o trajeto, uma relação constante com o Deus libertador.

O Deus criador do tempo invadiu a história para caminhar junto de seu povo. O Deus que chama para fora da casa da servidão é o Deus que acompanha no curso da jornada. Contudo, a presença de Deus durante o trajeto não consiste simplesmente em um talismã para proteger o povo das dificuldades. Seu objetivo é o desenvolvimento da relação entre Criador e criatura. Esse objetivo fica mais claro a partir de Deuteronômio 6, quando o discurso se orienta para o futuro de Israel a partir da evolução do relacionamento entre Deus e o povo, isto é, a obediência ou desobediência aos mandamentos divinos.[13]

Deus caminha com seu povo, mas não se deixa manipular pela vontade deste nem por quaisquer meios ritualísticos. O que se dá é justamente o contrário, isto é, Deus espera a cada momento uma decisão de seu povo.[14] Durante a caminhada, os israelitas não dispõem de nenhuma condição de manipular a vontade de Deus, uma vez que Deus é o Criador e, agora, o Salvador de seu povo. A soberania de Deus é absoluta do começo ao fim. Consequentemente, a humanidade não consegue modelar Deus de acordo com seus desejos, mas é Deus quem transforma o ser humano à sua imagem e semelhança.

Entretanto, essa transformação sofrida pelo povo de Deus ao longo do caminho é dolorosa. O processo de mudança de caráter nunca é fácil. Não é fácil nem simples, sermos quem Deus quer que sejamos. Estamos constantemente em tensão, pois somos seres finitos diante do Ser Infinito. Além disso, a incerteza natural durante o caminho nos causa medo. Sabemos

---

[13] WALTKE, *Teologia do Antigo Testamento*, p. 543.
[14] RAD, *Théologie de l'Ancien Testament*, p. 172.

para onde vamos, mas não sabemos como iremos, pois a Bíblia não revela todos os detalhes de nossa caminhada. Isso causa ainda mais tensão e dor. Não por acaso, Jesus alertará seus discípulos de que eles experimentariam as aflições desta vida (Jo 16.33). O povo de Deus passou e sempre passará pela angústia de ser constantemente transformado por ele, pois sua presença em meio a seu povo é garantida.

A dependência total de Deus nos aflige, pois temos medo da transformação que ele pode executar em nossa vida, sobretudo quando estamos conscientes de que não podemos manipulá-lo de acordo com nossa vontade. Por isso, se não compreendermos quem Deus é, quem nós somos e qual é o estado de nossa relação com ele, tenderemos a nos rebelar e ficar parados no meio do caminho. Foi o que aconteceu com a primeira geração dos israelitas que saiu do Egito.

De todo modo, a história de Deus com seu povo nunca terminou. Deus sempre tomou a iniciativa de caminhar com os seus. Essa é a razão pela qual o Novo Testamento retoma esse aspecto da caminhada e da presença de Deus, quando Jesus afirma que ele mesmo é o caminho (Jo 14.6) assim como a encarnação do próprio Deus que habitou no meio de seu povo (Jo 1.14). Portanto, uma vez que vivemos, nos movemos e existimos em Deus (At 17.28), não há como conceber a menor possibilidade de manipular sua vontade, pois a relação de Deus com seu povo não comporta a ideia da aceitação divina por meio de ações puramente humanas. Foi Deus quem decidiu viver no meio de seu povo, e não o povo que realizou algum rito religioso que conquistou o privilégio da presença divina em seu meio.

Em vez de falarmos sobre manipulação da vontade divina por seres humanos, temos de falar sobre o poder da vontade divina sobre os seres humanos. Por isso Paulo afirma que estamos sendo continuamente transformados por Deus (2Co 3.18).

Não é possível viver, existir e se mover em Deus sem passar pela transformação que ele opera em nós. É verdade que essa transformação não está completa. Vivemos entre a tensão de sermos o que somos hoje e aquilo que se manifestará em nós (1Jo 3.2). Devemos estar conscientes das tensões no caminho do relacionamento com Deus. Não à toa, Paulo adverte aos cristãos que renovem sua mente constantemente, a fim de não tomarem a mesma forma de agir e de pensar do sistema de valores do mundo (Rm 12.2).

3
A construção da relação com Deus

Aquietem-se e saibam que eu sou Deus!
Serei honrado entre todas as nações;
serei honrado no mundo inteiro.

SALMOS 46.10

No capítulo anterior, vimos que a relação com Deus não se baseia na manipulação do sagrado, isto é, não há nada que o ser humano possa fazer que venha alterar o pensamento de Deus a respeito de quem é o ser humano. Do mesmo modo, não se pode reduzir a relação com Deus a categorias dogmáticas. Claro que nosso conhecimento de Deus e de sua revelação salvífica dependem de nosso conhecimento sistematizado dos ensinos que encontramos nas Escrituras. Entretanto, se nosso relacionamento com Deus estiver fundamentado tão somente em proposições lógicas extraídas das Escrituras, o único resultado possível é uma ética altamente elevada com um ensino moral sólido e complexo. Com o tempo, porém, esse conjunto de ensinos éticos atenderá, no fim das contas, apenas aos interesses humanos, e as Escrituras se tornarão um manual de antropologia aplicada,[1] mas não a Palavra de Deus que transforma o caráter do ser humano. Portanto, o relacionamento do ser humano com Deus está além da simples memorização de versículos e das doutrinas contidas nas Escrituras.

Então, se o relacionamento com Deus ultrapassa os versículos e sistemas doutrinários, como podemos vivê-lo plenamente no dia a dia? Como nosso conhecimento de Deus, extraído das Escrituras, se encaixa nas decisões que temos de tomar em nossa vida? Cabe lembrar que nossa relação com Deus se desenvolve em meio aos demais tipos de relacionamentos: família, trabalho, igreja, vizinhança e amigos. Passamos diariamente por problemas em todos esses círculos de relacionamentos. Sendo assim, e tendo em mente as tensões abordadas no capítulo anterior sobre as diferenças entre o ser finito e o Ser Infinito, como construir nossa relação com Deus em meio às tantas outras tensões nos demais domínios da vida?

O Salmo 46 descreve o relacionamento com Deus em meio aos conflitos humanos baseado no conhecimento que temos dele. Nesse sentido, o verso 10 é esclarecedor: "Façam desistir! Saibam que eu sou Deus.

---

[1] FERREIRA, *Antologia teológica*, p. 476.

Eu serei exaltado nas nações. Eu serei exaltado na Terra" (minha tradução). O conhecimento sobre quem é Deus é determinante para que compreendamos e executemos o que ele pede a seu povo nesse texto.

Confessar nossas fraquezas

A primeira coisa que Deus requer de seu povo é que este renuncie a si mesmo. O contexto geral do Salmo 46 diz respeito à soberania de Deus em todas as esferas da vida, sobretudo nos momentos de crise. Na primeira parte do verso 10, então, há uma instrução cujo propósito primário não é consolar alguém que passa por um período de aflição, mas sim uma ordem para desistir, para renunciar.[2] Esse significado se constata pela origem do verbo *raphah*, no início do verso, que pode significar basicamente: falhar, enfraquecer, quebrar devido a uma fraqueza na estrutura.[3] Entretanto, também se pode utilizar esse verbo para descrever o abandono ou renúncia de alguma coisa. Por exemplo, quando carregamos um peso muito grande durante algum tempo nós nos esgotamos, pois nos damos conta de nossos limites. Então, desistimos de carregá-lo. Por vezes, a renúncia vem apenas após inúmeras tentativas frustradas de conseguir. Com isso, chegamos à

---

[2] KIDNER, *Salmos 1—72*, p. 195.
[3] Strong's Hebrew: 7503, הָפָר (*raphah*), <https://biblehub.com/hebrew/7503.htm>. Acesso em: 13 de jan. de 2022.

conclusão de que devemos parar com esse esforço inútil. É exatamente isso que Deus requer de seu povo: a desistência, o abandono, a renúncia de nossos esforços próprios.

Assim, esse versículo começa pela tomada de consciência de nossa fraqueza e limitação. Após ter descrito todas as catástrofes da vida nos versos anteriores, o Salmo 46 nos pede que renunciemos a nós mesmos e a nossos esforços de tentar fazer algo para consertar o que as catástrofes fizeram. Por vezes, debatemos intensamente, mas não ouvimos o suficiente. Além disso, os negócios e os problemas da vida não nos deixam tempo para ouvir a voz de Deus. Temos de decidir, temos de agir o mais rápido possível antes que seja tarde demais. Contudo, Deus nos convoca a renunciar, a abandonar, a não tentar mais nada. A terra está abalada, está destruída. Isso faz parte da vida, pois a vida é assim. É hora, então, de abandonar nossas tentativas de resolver os problemas à nossa maneira. É claro que devemos agir e tentar resolver esses problemas. Mas talvez nosso método não seja o mais adequado. Talvez acabemos piorando as coisas e criando ainda mais conflitos em uma situação já debilitada. Portanto, diz Deus, abandonem seus esforços! Renunciem a essas medidas! Desistam de fazer dessa maneira!

Com efeito, o abandono de nossas próprias forças e métodos é o princípio por excelência do discipulado cristão. Jesus, em seu Sermão do Monte, começa seu discurso afirmando que os pobres de espírito são felizes e que o reino dos céus lhes pertence (Mt 5.3). A compreensão do todo o restante dos ensinos de Jesus depende dessa primeira afirmação. Ou seja, não é possível praticar os ensinos de Jesus sem antes reconhecer o estado de pobreza no qual nos encontramos. A consciência de ser espiritualmente pobre é a característica fundamental para desenvolver um relacionamento verdadeiro com Deus. O termo "pobre" empregado por Mateus nesse texto refere-se a estar privado de tudo. É a descrição de alguém que não tem absolutamente coisa alguma em sua posse. Assim, não podemos receber nada de Deus, nenhuma de suas bênçãos, enquanto não admitirmos que nada temos em nós mesmos. Quando reconhecemos que não temos coisa alguma em nós mesmos, admitimos nossa profunda necessidade da graça de Deus. Para estar diante de Deus é necessário que tenhamos consciência de que somos vazios em nós mesmos. É por isso que os ensinos de Jesus no Sermão do Monte não são mandamentos para que cristianizemos[4] o mundo, mas o procedimento de vida daqueles

---

[4] Aqui faço uma distinção entre cristianizar e evangelizar. O termo cristianizar está mais voltado para a realização de ações dos cristãos para implantar o cristianismo como uma cultura na sociedade. Os exemplos mais notáveis dessa abordagem foram a Igreja Católica Romana durante a Idade Média na Europa e, mais recentemente, o movimento da Teonomia em algumas correntes evangélicas. O termo evangelizar, por sua vez, quer dizer espalhar a boa notícia do evangelho sem constranger ninguém a aceitá-lo, visto que somente Deus pode convencer uma pessoa do pecado, da justiça e do juízo.

que já fazem parte do reino de Deus. Em todo caso, sem a ação do Espírito Santo, o mundo não pode ter a consciência de que está necessitado da graça de Deus.

De fato, este é o mesmo convite que Jesus nos faz: "Venham a mim todos vocês os que estão cansados e sobrecarregados, e eu lhes darei descanso" (Mt 11.28). O termo "cansados", aqui, é a descrição de alguém que vem fazendo muito esforço e que está a ponto de abandonar tudo.[5] Esse esforço pesa muito e esgota a capacidade da pessoa. Não é por acaso que Jesus continua dizendo: "Deixem que eu os ensine". Jesus quer dizer que devemos abandonar nossos esforços, renunciar a nossos métodos, reconhecer nossas fraquezas, para que ele mesmo nos ensine como agir. Contudo, antes mesmo de receber os ensinos de Jesus, é necessário que venhamos a ele, ou seja, que tomemos consciência de que nossos esforços nada resolvem e que precisamos dos ensinos dele, pois em nós mesmos não temos coisa alguma. Talvez neste ponto caiba a pergunta: "Mas como eu devo deixar Deus agir? Como devo desenvolver minha confiança em Deus?".

Conhecer a Deus

Uma vez que renunciamos a nossos métodos e reconhecemos nossas fraquezas, estamos prontos para

---

[5] Strong's Greek: 2872, κοπιάω (*kopiaó*), <https://biblehub.com/greek/2872.htm>. Acesso em: 13 de jan. de 2022.

ouvir a Deus. Isso é evidente, pois paramos de lutar contra nós mesmos, não estamos mais ocupados com nós mesmos, e agora temos tempo para ouvir e conhecer a Deus.

Quando reconhecemos nosso estado de pobreza e admitimos nossa fraqueza, somos capazes de conhecer a Deus, de acordo com a definição do termo "conhecer" em hebraico, *yada*. O conhecimento, na língua hebraica, está ligado à experiência, pois o conhecimento vem dos sentidos.[6] Por isso, só podemos conhecer quando experimentamos. Não podemos experimentar Deus quando estamos cheios de nós mesmos. O conhecimento de Deus é o relacionamento que temos com ele. O conhecimento de Deus é a experiência pessoal de viver com ele após termos abandonado tudo em nós.

Evidentemente, o relacionamento com Deus, o conhecimento de Deus, de acordo com os versos anteriores do Salmo 46, decorre da experiência de observar atentamente as catástrofes que a humanidade produziu na terra e o poder de Deus sobre todas as coisas. Aqui temos o exemplo de um conhecimento intelectual que levou o salmista a um conhecimento relacional. É interessante notar que o verbo "saber", no verso 10, pode ter também o sentido de admitir, reconhecer ou, ainda, confessar. Por isso, parece lógico ao salmista

---

[6]Harris et al., *Dicionário Internacional de Teologia do Antigo Testamento*, verbete "yada", p. 597.

admitir que Deus é o Senhor soberano após observar e constatar que a vida na terra é constituída por catástrofes e conflitos e que ele, o salmista, nada pode fazer para mudar essa situação. Assim, ele renuncia a seus próprios esforços para dar lugar ao relacionamento com seu Criador.

Notamos que o salmista não nega o progresso humano em termos políticos, uma vez que menciona reinos e nações de modo distinto no verso 6. Da mesma forma, ele não questiona o progresso tecnológico quando cita os diversos equipamentos bélicos no verso 9. Entretanto, ele constata que o conhecimento humano, embora tenha progredido, produziu conflito e sofrimento. Daí a grande reviravolta no verso 10. O salmista interpela o leitor a renunciar a seu próprio conhecimento, que produziu guerras e tormentos, para conhecer o Deus que se faz presente no meio dos desastres da humanidade. Em vez de continuar usando o conhecimento para produzir ainda mais angústia e aflição, o ser humano usaria seu conhecimento para se relacionar com Deus.

Consequentemente, a confissão da soberania de Deus a partir de nosso conhecimento intelectual e relacional compreende também o abandono de nossos próprios métodos, bem como nosso desejo de submeter-nos à sua autoridade. Nossa vontade, então, está submetida à vontade de Deus. Mas por que nossa vontade passa a estar submissa à vontade de Deus? Porque conhecemos o resultado catastrófico de nossos esforços e experimentamos as obras de paz e restauração de Deus.

Agostinho afirmou que só podemos amar alguém que conhecemos.[7] Por sua vez, o conhecimento integral de Deus, isto é, intelectual e relacional, deve redundar na ação prática. No caso, a ação de submeter-nos a Deus em todas as áreas da vida. De fato, o conhecimento, na concepção hebraica, é formado pelos fundamentos teóricos e também pela experiência cotidiana. Assim, o conhecimento de Deus envolve necessariamente uma relação pessoal de submissão a ele. Nós nos submetemos a Deus quando desistimos de nossos próprios métodos para adotar os de Deus.

O ser humano adquire conhecimento de Deus quando este se manifesta como algo completamente diferente daquilo que a humanidade produziu.[8] Nesse sentido, o Salmo 46 é esclarecedor. A humanidade, com seus esforços, mesmo querendo realizar algo bom, só produziu catástrofe e sofrimento. Mesmo quando desejou, de alguma maneira, manifestar o bem em nome de Deus, não raro houve algum tipo de conflito ou hostilidade entre culturas e povos. Isso acontece porque o ser humano tende a idolatrar os próprios métodos e esforços e esquece que a manifestação de Deus produz uma realidade completamente diferente das

---

[7] AGOSTINHO, *A Trindade*, livro VIII, cap. V.
[8] ELIADE, *O sagrado e o profano*, p. 13.

realidades naturais.⁹ Por isso a instrução do salmista no início do verso 10 para que desistamos de nós mesmos, pois a consciência dessa diferença entre a realidade divina e a realidade humana se alicerça na compreensão da nulidade do ser humano diante de Deus.

O conhecimento de Deus, consequentemente, é o fundamento da liberdade, pois o ser humano se liberta da escravidão de suas próprias ideias, que só produziram conflitos, para se entregar à experiência com Deus, das quais a primeira consequência é a compreensão dos limites humanos. Por isso a Bíblia compara a liberdade humana à salvação. Jesus mesmo afirmou que a salvação é o conhecimento de Deus e de Jesus Cristo, seu enviado (Jo 17.3).

Saber a quem pertence o poder

À medida que aprofundamos nosso conhecimento de Deus e desenvolvemos uma relação com ele, percebemos que ele é o Senhor soberano e que, consequentemente, todo o poder lhe pertence. Mas como isso se produz no cotidiano?

O verbo utilizado em Salmos 46.10 para exprimir a ideia do domínio de Deus ("serei honrado") quer dizer mostrar ou elevar. Esse verbo comporta também a noção de uma presença ativa, de alguém que está presente e realiza algo. O verso tem o objetivo, então, de

⁹Ibid., p. 12.

mostrar que Deus está presente na terra e que o ser humano é capaz de reconhecer esse fato. Em outras palavras, temos a possibilidade de reconhecer a soberania de Deus.

Nós só podemos elevar o nome de Deus após reconhecermos nossa fraqueza e após conhecermos a Deus. Tendo desenvolvido um relacionamento íntimo e profundo com ele, podemos reconhecer seu poder e sua soberania. É impossível reconhecer a soberania de Deus sem primeiramente reconhecer quem somos. O desejo de elevar o nome de Deus marca a diferença de alguém que já foi transformado e de alguém que ainda vive na escravidão dos próprios esforços. Quem tem o coração transformado desejará naturalmente render toda a glória a Deus. O desejo de poder e de dominar preenchem a vida da pessoa que ainda não tem o verdadeiro conhecimento de Deus.

A Bíblia fornece alguns exemplos de pessoas que querem dominar sobre a vida de outros em razão de seu desconhecimento de Deus, como são os casos do faraó e de Nabucodonosor. Desde o começo da humanidade o ser humano sempre resistiu a reconhecer a soberania de Deus, conforme nos mostra a narrativa da Torre de Babel (Gn 11.1-9). Em vez de se submeter à soberania do Criador, o ser humano desejou fazer um nome para si.

O reconhecimento da soberania de Deus é o fundamento que nos impede de correr atrás do poder. De fato, a idolatria se manifesta no desejo mais primitivo do ser humano de ser Deus para ter poder e controlar tudo, pois a noção do sagrado comporta em si o poder.[10] A busca pelo poder é o desejo de ser Deus para controlar a realidade. Alguém que não reconhece a própria fraqueza continuará querendo ser Deus para ter poder. A esperança de sua vida está depositada em si mesmo e em seus próprios esforços.

Em contrapartida, aquele que já reconheceu sua fraqueza e está consciente da soberania de Deus sobre todas as coisas fundamenta a esperança de sua vida na presença de Deus neste mundo. O desejo de quem teve a vida transformada é que a glória de Deus, isto é, sua presença, seja evidenciada ainda nesta realidade. É por isso que o primeiro item da oração daquele que tem um relacionamento com Deus é que o nome de Deus seja santificado, isto é, que Deus seja manifestado concretamente na vida cotidiana.

---

[10] Ibid., p. 14.

4
O desenvolvimento da relação com Deus

Ó Senhor, tenho tantos inimigos;
 tanta gente é contra mim!
São muitos os que dizem:
 "Deus nunca o livrará!".

Interlúdio

Mas tu, Senhor, és um escudo ao meu redor;
 és minha glória e manténs minha cabeça
  erguida.
Clamei ao Senhor,
 e ele me respondeu de seu santo monte.

Interlúdio

Deitei-me e dormi;
 acordei em segurança,
  pois o Senhor me guardava.
Não tenho medo de dez mil inimigos
 que me cercam de todos os lados.

Levanta-te, Senhor!
 Salva-me, Deus meu!

Acerta meus inimigos no queixo
e quebra os dentes dos perversos.
De ti, SENHOR, vem o livramento;
abençoa o teu povo!

Interlúdio

SALMOS 3.1-8

Como vimos anteriormente, o relacionamento entre Deus e o ser humano é permeado de tensões. Sendo assim, como desenvolver um relacionamento saudável com Deus em meio a todas essas tensões? Como não cair no extremo da culpabilidade por causa do pecado, e no entanto como não viver no extremo de uma relação permissiva em razão do perdão total de Deus? Esses dois limites nos ajudarão a desenvolver nosso relacionamento com Deus ao mesmo tempo que nos impedirão de transformar Deus em um ídolo, isto é, de projetar em Deus nossos próprios desejos em vez de vivermos a vontade dele para nós.

A Bíblia nos apresenta o caso de Davi. Chamado de "um homem segundo o coração de Deus" (1Sm 13.14), sua confiança em Deus era notável. Entretanto, Davi cometeu pecados gravíssimos que a Bíblia não esconde. Se é verdade que a maioria das coisas que lemos sobre sua vida, seus atos bons e suas decisões terríveis, foi narrada por terceiros, também encontramos na Bíblia alguns salmos que ele próprio escreveu e que retratam como ele era e como reagia a eventos que aconteciam em sua vida. Como, então, Davi descreve sua relação com Deus? Como descreve a si mesmo? Como relata esses dois eixos de relação em meio aos problemas e às dificuldades que enfrentou?

O Salmo 3 é um bom exemplo da dinâmica das relações de Davi. Nessa ocasião, ele está cercado de angústia e das consequências familiares de seus erros, pois fugia de seu filho Absalão, que queria tomar-lhe o trono de Israel e que havia cooptado outros rebeldes para levar esse plano a cabo. Quando Davi soube do plano, fugiu. Além disso, o relato de 2Samuel 15.30 nos informa que ele vivia um momento de profundo luto: "Davi prosseguiu pelo caminho para o monte das Oliveiras, chorando enquanto andava. Estava com a cabeça coberta e os pés descalços. Os que iam com ele também tinham a cabeça coberta e choravam enquanto subiam ao monte". A imagem dos pés nus e da cabeça coberta são símbolos de luto. Davi sofria, e algo dentro dele havia morrido. Assim, o Salmo 3 é o relato de alguém que vive uma dor profunda.

Contudo, quando lemos o verso 5, constatamos algo impressionante: "Deitei-me e dormi; acordei em segurança, pois o Senhor me guardava". Dadas as circunstâncias nas quais Davi vivia, não conseguimos vislumbrar nenhuma condição na qual ele poderia se deitar e dormir tranquilo. Ele está longe de seu palácio e não pode contar com seus recursos materiais, ou seja, não possui nenhuma possibilidade concreta para deitar-se e dormir! Qual é, então, o segredo de Davi para fazê-lo? Como ele conseguia, se era tão pecador quanto nós?

Faça uma avaliação realista da condição atual

O cristão não deve ser alguém que vive em uma bolha, ou mesmo alguém que considera a vida um mar de rosas em todo tempo. Do mesmo modo, o cristão não é alguém que nega a realidade dura e cruel do mundo. Aliás, a vida que Deus propõe não é uma fuga da realidade; muito ao contrário, Deus mergulha o cristão na realidade.

Em Salmos 3.2-4, somos informados de que Davi estava consciente da oposição que sofria. Seus inimigos cresciam cada vez mais. Nota-se essa ênfase no crescimento da oposição pelo triplo uso de um termo em hebraico que quer dizer "muito". O superlativo na língua hebraica é descrito pela tripla repetição.[1] Isso nos mostra que a oposição que Davi suportava era realmente muito grande.

Além disso, seus inimigos lhe causavam angústia e sofrimento quando atacavam suas emoções. O verso 2 diz literalmente: "os que me causam angústia se tornaram muitos". Após atacar suas emoções, no verso 3 os

---

[1] Esse recurso literário da língua hebraica é empregado, por exemplo, na narrativa de Isaías 6.3, em que, em vez de afirmar que Deus é santíssimo, como se faria em português, o autor escreve "Santo, santo, santo".

inimigos de Davi atacam sua fé, dizendo que ele não encontraria mais salvação em Deus.

Observamos que os ataques começam no interior de Davi e terminam na negação de sua salvação. O objetivo era desmoralizá-lo completamente. Entretanto, no verso 4, vemos uma mudança completa nessa situação terrível. Embora Davi esteja cercado por seus inimigos, ele afirma que Deus é seu escudo. A ideia é de algo que nos cerca e nos protege de todos os lados, o que vai muito além de um simples escudo. Outro ponto notável é que, mesmo em meio a tanta aflição, Davi afirma que Deus é sua glória.

Comparemos, então, o estado de Davi na narrativa de 2Samuel 15.30 com este salmo. No primeiro texto Davi avança em um estado de luto e sofrimento, ao passo que no salmo Davi afirma que Deus é sua glória. Ele pode, assim, andar de cabeça erguida. Davi está consciente dos problemas que enfrenta, mas também sabe que Deus está presente. Ele conhece a Deus. Sabe quem Deus é. Consequentemente, mesmo que não tivesse mais forças, Davi podia andar de cabeça erguida, pois tinha certeza da presença de Deus com ele.

Davi não esconde nem nega a realidade dura e cruel que está vivendo. Ele sente os efeitos dessa realidade em seu próprio corpo. Não se engana dizendo que tudo vai ficar bem. Ele abre o coração para Deus descrevendo a realidade como ela se apresenta. Todavia, não confia em seus próprios esforços para tentar resolver a situação ou sair dela. Por isso, a oração que apresenta a Deus não constitui um conforto artificial. Ele não confunde sua fé em Deus com um simples otimismo humano.

Assim, se seus inimigos dizem que não há mais salvação para ele, Davi afirma que Deus é sua glória. Se por um lado ele segue seus passos aos prantos e com a cabeça coberta, por outro seu coração está seguro da presença de Deus. Sua força vem de Deus, e não de si mesmo.

Vivemos em um mundo mergulhado no pecado, em que cada pessoa busca, na maior parte das vezes, apenas o próprio interesse. Na busca dos interesses pessoais, não há nenhuma hesitação em passar por cima dos outros. Esse comportamento torna a realidade trágica e cruel. Porém o cristão, antes de tudo, jamais deveria sequer pensar em passar por cima de alguém. E, se ele é atingido por esse tipo de situação, sabe que pode contar com a presença de Deus.

Deus não nos pede que neguemos a realidade. Deus nos encoraja a viver uma relação com ele nesta realidade. Mesmo que nossa fé e nossa esperança sejam atacadas, sabemos que Deus é um escudo que nos cerca de todos os lados. A glória daquele que tem um relacionamento com Deus é o próprio Deus. Aquele que ainda não desenvolveu um relacionamento com Deus buscará sempre a própria glória em detrimento dos demais seres humanos. Quando o ser humano busca a própria glória o único resultado é o conflito, pois inevitavelmente haverá interesses em choque e ninguém desejará renunciar facilmente a seu direito em favor do outro.

Contudo, aquele que experimenta uma relação com Deus está consciente de que sua glória é o próprio Deus e não seus interesses pessoais. Assim, ele poderá passar em paz pelos conflitos, pois não buscará sua própria glória.

Busque constantemente a face de Deus

Agora podemos analisar os versos 5 e 6 do Salmo 3. E a primeira coisa a ser dita é que Deus não nos oferece um relacionamento isento de complexidade. Trata-se de um relacionamento marcado também por momentos de questionamento. A expressão "Por que, Senhor?" faz parte dessa relação.

O verso 5 trata especificamente desse aspecto de nosso relacionamento com Deus. Davi clama a Deus. Mas esse clamor é como um grito de desespero. Não se trata de um simples pedido a Deus. A situação na qual Davi estava envolvido era tão grave que ele não consegue conter o grito na garganta. Uma voz normal não era suficiente para expressá-lo.

Nesse mesmo verso Davi exerce sua fé, pois ele afirma que Deus lhe respondeu mesmo que a situação ainda não tenha se alterado. Verificamos aqui o verdadeiro significado da fé conforme o padrão bíblico. Por que se deve fazer essa distinção? A resposta é simples. Como dissemos acima, nosso conceito de fé está, muitas vezes, diluído em nosso desejo humano de que tudo termine bem. Por ora, Davi não está seguro de que as coisas terminarão bem, mas ele permanece firme em sua decisão de continuar a relação com Deus. E aqui chegamos ao verdadeiro significado de fé.

Fé, em hebraico, diz respeito a estabilidade e firmeza. Para compreender melhor seu sentido prático, imaginemos um soldado que deve permanecer em sua posição qualquer que seja a situação. Mesmo que tudo e todos estejam ruindo a seu lado, o soldado permanece em seu posto com firmeza e estabilidade. Essa firmeza e estabilidade não vêm das circunstâncias. Além disso, seu desejo humano de que as coisas terminem bem não pode ajudá-lo agora, pois o simples fato de desejar que algo termine bem não significa que isso vá, de fato, acontecer. Ainda assim, ele decide permanecer firme em sua posição. E essa decisão, repetimos, não tem nada a ver com as circunstâncias nem com o desejo de seu coração.

Davi está seguro, pois sabe que Deus está acima de todas as circunstâncias. Ele o afirma dizendo que Deus lhe responde de cima dos montes. Contudo, após ter clamado a Deus, Davi faz uma pausa em sua oração. Por quê? Após ter avaliado a situação tal como ela se apresenta, após ter clamado a Deus por causa dessa situação e após ter consciência de que Deus lhe dará resposta, Davi faz uma pausa para pensar em sua condição física, moral, emocional e espiritual. Assim, o resultado de ter consciência de que Deus está com ele em todas as situações é que Davi pode se deitar, dormir e acordar em paz, pois sabe que Deus é o fundamento de sua vida.

Outro efeito de uma relação honesta com Deus é a ausência do medo que paralisa a reflexão e a tomada de atitude. No caso deste salmo, Davi não permanece paralisado diante de seus inimigos.

Por isso, apesar das condições extremas em que se encontrava, Davi admite que a batalha mais importante que ele vinha travando se desenrolava diante de Deus. Ele orava. Porém, o problema da oração é o depois. O que fazer após a avaliação da situação? O que fazer após clamar? Davi nos mostra que é necessário simplesmente esperar a resposta do Senhor. Aquele que tem uma relação com Deus sabe que Deus escuta. Quando Davi menciona a montanha santa, ele quer dizer que Deus está acima de tudo o mais. O Deus todo-poderoso observa tudo do alto.

O que devemos nos perguntar enquanto esperamos a resposta de Deus é se refletimos verdadeiramente a respeito de todas as alternativas. Nós sabemos e cremos realmente que Deus nos ouve? Nós fazemos, de fato, uma pausa no meio de nossas angústias para esperar a resposta de Deus?

A decisão de avaliar a situação de maneira realista e, em seguida, clamar a Deus de forma honesta, e depois refletir sobre todos os aspectos da sua vida fazendo uma pausa permitiu que Davi se deitasse e acordasse em paz. Essa paz vem da confiança em Deus. Essa paz permite que continuemos a caminhar apesar de todas as condições adversas. Nossa relação com Deus não nos deixa paralisados. Deus nos dá todas as condições para realizarmos sua vontade.

Notamos, portanto, que a relação entre Davi e Deus não era desprovida de movimento. Davi tinha uma relação intensa com Deus. Ele não tinha medo de abrir o coração diante do Senhor. Davi passava do clamor intenso ao silêncio da espera de uma resposta.

Às vezes, nossa relação com Deus é monótona. Como desenvolvemos nosso diálogo com Deus? Como conversamos com ele? Somos honestos o suficiente em tudo que dizemos para Deus? Ou nossa relação se desenvolve de maneira mecânica?

Se Davi tinha algum medo, dúvida, dor ou amargura, ele os colocava diante de Deus em oração. Deus deseja uma relação conosco que seja criativa, intensa e pessoal. Ele deseja que discutamos, que questionemos. Com efeito, uma relação intensa com Deus fortalece ainda mais nossa confiança nele. E uma relação mais intensa e forte com Deus fortalece nossa paz em todas as circunstâncias. Nossa paz é fortificada, pois aprendemos a confiar em Deus e aprendemos também a identificar de onde vem sua voz.

Sejamos honestos diante de Deus. Não tenhamos medo de abrir o coração para ele. Se for preciso gritar, gritemos, mas aprendamos também a aguardar em silêncio sua resposta. Isso fará com que nossa relação com ele cresça, amadureça e se aprofunde em meio a todas as circunstâncias da vida.

Repouse sobre a soberania de Deus

De um lado, sabemos que a realidade que nos cerca é difícil e complexa. De outro, nossa alma e coração passam também por momentos duros, ainda que a situação externa não seja particularmente difícil. Assim, o fundamento de nossa paz não deve estar nem no mundo nem em nós mesmos.

É por isso que os versos 7 e 8, a parte final deste salmo, constituem uma declaração da fé que Davi tinha. Davi descreve a realidade cruel, mas ele confia em Deus buscando sempre seu socorro. Davi afirma e confirma sua salvação e a bênção de Deus sobre ele. Isso quer dizer que Davi depositava sua paz na soberania de Deus. A paz de Davi estava fora das circunstâncias do mundo e fora de si mesmo. A paz de Davi vinha do fato de que ele pertencia a Deus. Não importa se o mundo diz que não existe salvação em Deus.

Após clamar intensamente, Davi termina sua oração com uma declaração de fé e confiança absoluta em Deus. Essa confiança de Davi é acompanhada pela humildade, pois ele admite sua incapacidade de sair sozinho das dificuldades pelas quais passava. Por isso ele questionava a Deus! Entretanto, Davi não permanece para sempre em seus questionamentos.

Ele vai além disso. É suficientemente humilde para compreender sua incapacidade. Assim, ele ora: "Senhor, salva-me!".

Todavia, na sequência de sua humilhação e de sua confissão de fé, Davi muda radicalmente seu discurso e faz uma oração digna de um boxeador. "Acerta meus inimigos no queixo e quebra os dentes dos perversos." Como conciliar essa "oração forte" com todos os demais aspectos de sua relação com Deus vistos até aqui?

Para entendê-la é preciso primeiro prestar atenção nos pronomes que Davi usa para exprimi-la. Notemos que Davi os usa todos na segunda pessoa. Isso quer dizer que ele remete a Deus o seu desejo de vingança. Nesse caso, não é Davi quem age, mas sim Deus. Além disso, trata-se também de uma confissão de fé, pois Davi sabe que Deus toma conta de sua vida. Concluímos que Davi está muito mais orientado para sua confiança em Deus do que propriamente na vingança contra seus inimigos.

Essa conclusão é correta, pois observamos que no fim de sua oração Davi afirma que a salvação vem de Deus. Assim, ele não está completamente tomado pelo desejo de vingança contra seus inimigos. Davi não permite que esse sentimento o domine. Deus cuidará disso. Sua verdadeira preocupação é a salvação que vem de Deus. Davi admite, mais uma vez, que seus esforços são incapazes de salvá-lo, pois o livramento vem de Deus somente.

A pessoa que dorme bem, portanto, não é aquela que está sempre questionando o tempo todo. Evidentemente, os questionamentos fazem parte da vida e do relacionamento com Deus, como vimos acima. Além disso, podemos e devemos nos questionar, ou questionar um momento específico, pois nem sempre temos condições de compreender tudo o que está acontecendo. Outro ponto importante é que é preferível questionar a Deus nos momentos difíceis a permanecer em silêncio e não dar a devida importância a Deus nesses momentos.

Em última análise, contudo, a pessoa que dorme bem apesar dos problemas e tribulações é aquela que confia na palavra de Deus. É a pessoa que se coloca humildemente diante de Deus admitindo sua incapacidade de gerenciar todas as coisas. Quando somos honestos e humildes diante de Deus, aprendemos cada vez mais a confiar nele. Esse exercício cotidiano nos dá paz. E essa paz vem de Deus, visto que entendemos que somos incapazes de controlar tudo. Logo, essa paz não pode ser o resultado de nossos esforços.

Mas e quanto aos inimigos e tudo o que nos perturba? Nós os deixamos, simplesmente, nas mãos de Deus. Claro que podemos abrir o coração para ele e dizer o que nos machuca. Isso faz parte de uma relação honesta com Deus. Entretanto, uma vez que confiamos nele, depositamos em suas mãos nossos pecados, preocupações e problemas. Já admitimos, afinal, nossa fraqueza ao tentar controlar tudo.

Nós podemos desenvolver esse hábito desde que estejamos sempre conscientes de que a salvação pertence a Deus. Isso quer dizer que nossa vida presente e futura pertence a ele. Somos salvos por sua graça e misericórdia, pois não podemos fazer coisa alguma para sair de nossa situação de desespero. A salvação pertence ao Senhor, não a nosso bom comportamento, não a nosso conhecimento e não a nossa capacidade de resolver as coisas.

À medida que a relação de Davi com Deus evolui ele aprende a compartilhar a graça e a salvação que recebeu de Deus. "De ti, Senhor, vem o livramento; abençoa o teu povo!" Isso quer dizer que Davi reconhece que Deus é o único todo-poderoso para abençoar o povo. Davi não diz que o povo é dele, embora ele fosse o rei. Davi sabe que é Deus quem cuida do povo, pois compreendeu sua incapacidade para fazê-lo. Por isso, deseja que a bênção de Deus esteja sobre todo o povo e não somente para si. Davi começa sua oração tendo-se como sujeito principal, mas termina com todo o povo sendo alvo da bênção de Deus. Ele passa da individualidade à comunidade. A oração transformou seu coração.

O cristão que dorme bem talvez não venha a entender o instante do sofrimento. Pode ser que não compreenda o sentido do que está acontecendo naquele momento. Mas ele sabe que a salvação, o presente e o futuro estão nas mãos de Deus. Por isso, nada pode separá-lo de sua relação com Deus. Essa atitude de entrega nos livra da idolatria a nós mesmos, quando pensamos que podemos controlar tudo à nossa volta, o que nos faz esquecer que a relação com Deus é desenvolvida em humildade e honestidade.

5
Os obstáculos na relação com Deus

―――――

Estas são as visões de Isaías, filho de Amoz, acerca de Judá e Jerusalém. Ele teve estas visões durante os anos em que Uzias, Jotão, Acaz e Ezequias eram reis de Judá.

Ouçam, ó céus! Preste atenção, ó terra!
   Assim diz o Senhor:
"Os filhos que criei e dos quais cuidei
   se rebelaram contra mim.
Até mesmo o boi conhece seu dono,
   e o jumento reconhece o cuidado de seu
     senhor,
mas Israel não conhece seu Senhor;
   meu povo não reconhece meu cuidado
     por ele".
Ah, como é pecadora esta nação,
   sobrecarregada pelo peso da culpa!
São um povo perverso,
   filhos corruptos que rejeitaram o Senhor.
Desprezaram o Santo de Israel
   e deram as costas para ele.

Por que continuam a atrair castigo sobre si?
   Vão se rebelar para sempre?
Sua cabeça está ferida,
   seu coração está enfermo.
Estão machucados da cabeça aos pés,
   cheios de contusões, vergões e feridas
      abertas,
     e não há ataduras nem óleo para dar
      alívio.
Sua terra está em ruínas,
   suas cidades foram queimadas.
Estrangeiros saqueiam seus campos diante de
     vocês
   e destroem tudo que veem pela frente.
A bela Sião está abandonada,
   como o abrigo do vigia no vinhedo,
como a cabana numa plantação de pepinos,
   como a cidade que foi sitiada.
Se o Senhor dos Exércitos
   não houvesse poupado alguns de nós,
teríamos sido exterminados como Sodoma
   e destruídos como Gomorra.

Ouçam a palavra do Senhor, líderes de
     "Sodoma"!
   Prestem atenção à lei de nosso Deus,
     povo de "Gomorra"!
"O que os faz pensar que desejo seus muitos
     sacrifícios?",
   diz o Senhor.
"Estou farto de holocaustos de carneiros
   e da gordura de novilhos gordos.

Não tenho prazer no sangue de touros,
   de cordeiros e de bodes.
Quem lhes pediu que fizessem esse alvoroço
   por meus pátios
   quando vêm me adorar?
Parem de trazer ofertas inúteis;
   o incenso que oferecem me dá náusea!
Suas festas de lua nova, seus sábados
   e seus dias especiais de jejum
são pecaminosos e falsos;
   não aguento mais suas reuniões solenes!
Odeio suas festas de lua nova e celebrações
      anuais;
   são um peso para mim, não as suporto!
Não olharei para vocês quando levantarem as
      mãos para orar;
   ainda que ofereçam muitas orações, não
      os ouvirei,
   pois suas mãos estão cobertas de sangue.
Lavem-se e limpem-se!
   Removam seus pecados de minha vista
   e parem de fazer o mal.
Aprendam a fazer o bem
   e busquem a justiça.
Ajudem os oprimidos,
   defendam a causa dos órfãos,
lutem pelos direitos das viúvas.

"Venham, vamos resolver este assunto",
   diz o Senhor.
"Embora seus pecados sejam como o
      escarlate,

> eu os tornarei brancos como a neve;
> embora sejam vermelhos como o carmesim,
> eu os tornarei brancos como a lã.
> Se estiverem dispostos a me obedecer,
> terão comida com fartura.
> Se, porém, se desviarem e se recusarem a ouvir,
> serão devorados pela espada.
> Eu, o Senhor, falei!"
>
> Isaías 1.1-20

Até aqui discorremos bastante sobre o relacionamento com Deus. Mas por que desejar essa relação? E quais são os obstáculos que impedem tal relacionamento?

Se tomamos uma parte da história de Israel, temos a impressão de que tudo corria bem. Na segunda metade do século 8 a.C., o profeta Isaías atuou sob quatro reis diferentes: Uzias, Jotão, Acaz e Ezequias. À exceção de Acaz, todos os demais reis de Judá, o reino do sul, são considerados bons governantes na média geral. A história testemunha que a região de Israel e Judá experimentou uma grande agitação política nessa época, principalmente em razão das atividades dos reis assírios Tiglate-Pileser III, Salmaneser V, Sargão II e Senaqueribe, que procuravam conquistar os territórios palestinos entre 745 e 681 a.C. As últimas profecias de Isaías datam de 701 a.C., durante a ameaça assíria por Senaqueribe. Contudo, essa época de ameaça foi precedida por um período de considerável prosperidade econômica e política em Judá.

Assim, aproveitando o bom momento de Judá, Israel, o reino do norte, tenta forçá-lo a participar da aliança contra a Assíria, no intuito de manter o bom período político-econômico. Mas Isaías se opõe à participação de Judá na aliança anti-assíria, assim como à política do rei Acaz, que queria tornar-se vassalo da Assíria e ainda pedir que ela o ajudasse contra Israel e os demais participantes dessa aliança.[1]

Por isso, Isaías escreve à Judá com notável rigidez para mostrar que nem tudo estava bem. O povo de Judá passou ileso pela ameaça da Assíria graças à ação miraculosa de Deus, e a vida continuou como sempre havia sido. Deus abençoou seu povo, pois Deus estava com seu povo. Mas onde o povo estava? Qual era o estado de sua relação com Deus? Se lermos Isaías 1.1-20, compreenderemos qual era o estado do povo de Judá e por que era necessário mudar sua relação com Deus.

Esse trecho nos mostra que Deus exige um reposicionamento da vontade humana e uma mudança de atitude de Judá. Porém, tais mudanças só ocorrem após uma intervenção profunda na alma do povo. Essa intervenção era necessária, pois, em razão do bom momento político-econômico que Judá vivia, o povo havia abandonado Deus para adorar a si mesmo. A idolatria se revela mais contundente quando o ser humano se serve do ouro, dos cavalos, das carruagens para exprimir seu desejo de poder e para adorar a obra

---

[1] SELLIN e FOHER, *Introdução ao Antigo Testamento*, p. 515.

de suas próprias mãos.² Nessa etapa da idolatria, os detentores do poder não enxergam outra coisa senão a si próprios, afinal eles se julgam deuses. Uma vez que não há espaço para outras divindades, o surgimento dos conflitos entre seres humanos é inevitável, assim como o aparecimento dos oprimidos, aqueles seres humanos que não tiveram acesso aos meios do poder.

Então, em vez de deixar o povo seguir um caminho de opressão e autodestruição, Deus o chama para esclarecer alguns pontos em sua relação com ele. É interessante notar que Isaías não fala de uma "aliança", mas de uma relação pessoal e vital com Deus, na qual YHWH é o amante e o noivo, Israel é sua família e os israelitas são seus filhos.³ O profeta então descreve com detalhes pecado por pecado do povo. Em seguida, Deus, o soberano e todo-poderoso, convoca seu povo para explicar como viver uma relação com ele. E, nessa conversa relatada em Isaías 1.1-20, encontramos três acusações de Deus contra seu povo que impede o desenvolvimento de um relacionamento pessoal com ele.

O povo não conhece a Deus

Imaginemos um lar onde o cachorro, o gato e até o peixe conhecem melhor os seus donos do que os filhos

---

[2] CAZELLES, *Introduction critique à l'Ancien Testament*, p. 384.
[3] SELLIN e FOHER, *Introdução ao Antigo Testamento*, p. 526.

do casal. É exatamente dessa maneira que Isaías apresenta o relacionamento do povo de Judá com Deus.

O texto começa com a convocação de toda a criação para ouvir o que Deus dirá a seu povo. Qual a razão dessa convocação? Deus não poderia ter se dirigido pessoalmente ao povo? Lembremos, porém, que a identidade do povo de Israel estava fundamentada no relacionamento de Deus com toda a sua criação. Como vimos acima, Deuteronômio é o livro da Bíblia que expressa todas as cláusulas do relacionamento entre Deus e sua criação. Em Deuteronômio 32.1, sobre a permanência do povo nessa relação,[4] o Senhor diz: "Escutem, ó céus, e falarei! Ouça, ó terra, aquilo que digo". Agora, comparemos com o texto de Isaías 1.2: "Ouçam, ó céus! Preste atenção, ó terra! Assim diz o Senhor".

O profeta Isaías lembra ao povo os termos que norteiam o relacionamento com Deus, as condições dessa relação e as razões pelas quais Deus o estabeleceu. Não se trata de meras palavras para introduzir um discurso, pois são termos que evocam o relacionamento pessoal de Deus com seu povo, que evocam sua graça e misericórdia. E toda a criação é testemunha disso. Isaías não alivia o peso dessas palavras quando afirma que mesmo os animais conhecem aqueles que os alimentam, mas o povo não conhece o Deus que os havia criado.

Todavia, o problema apresentado no texto vai além

---

[4] Pinto, *Foco e desenvolvimento no Antigo Testamento*, p. 195.

disso. Embora o povo tenha quebrado o relacionamento com Deus, a questão mais importante aqui é a identidade de Deus. Na verdade, o povo não conhecia seu Criador, e no entanto continuava a ser um povo religioso. O povo de Judá possuía seus ritos, suas tradições religiosas e seus cultos. Contudo, havia criado uma caricatura de Deus, uma falsa ideia de sua identidade, e consequentemente cometia o pecado da idolatria, pois projetara nesses elementos religiosos seus próprios desejos humanos.

Não se trata, é verdade, de um pecado exclusivo do povo de Israel. Durante o processo de aprendizado do relacionamento com Deus e de seu caráter, nós também temos dificuldades para compreender duas singularidades sobre o Ser divino: sua santidade e sua misericórdia. Temos dificuldades para compreender a santidade de Deus porque tendemos a rebaixá-la a fim de buscar uma relação mais flexível com ele. Ao rebaixar a santidade de Deus o ser humano eleva-se à condição divina ao tentar igualar-se a ele. Da mesma forma, temos dificuldades para entender a misericórdia de Deus em razão de nosso coração duro e impiedoso. Assim, projetamos sobre a divindade essa mesma impiedade e dureza. Com isso, o ser humano se torna seu próprio deus e, consequentemente, descarrega sobre o outro a impiedade que habita seu coração. Essa é a causa da rebelião humana contra Deus. O ser humano não conhece a Deus uma vez que se fez a si mesmo seu próprio deus. Assim, a humanidade cria uma falsa representação de Deus substituindo a santidade e a misericórdia por maldade e impiedade.

Por isso, quando minimizamos a santidade de Deus, demonstramos que não o conhecemos. Esse tipo de comportamento nos leva a uma estrada de duas vias: a via religiosa e a via laica. Na via religiosa, fazemos de tudo para agradar a um deus que nós mesmos fabricamos. E na via laica, fazemos de tudo para agradar a nós mesmos. É por isso que certos aspectos da vida humana ganham ares religiosos, mesmo que o modo de vida seja completamente imanente. Com isso, o perdão dos pecados vem da própria consciência humana elevada à categoria divina. Entretanto, esse perdão não apaga os pecados, pois trata-se, na verdade, de uma autorização para pecar ainda mais.

Por sua vez, quando minimizamos a misericórdia de Deus e a rebaixamos ao nível de nossa própria consciência, não conseguimos perdoar, visto que uma divindade não pode ser ofendida sem que haja um castigo à altura. Então criam-se regras e mais regras de comportamento mecânico para obedecer sem pensar e, assim, apaziguar a consciência.

Não podemos nos conformar com um conhecimento básico de Deus, pois esse conhecimento limitado nos levará a criar uma falsa imagem de Deus. Ao criar essa falsa imagem, embora possamos empregar o nome de Deus ou mesmo empregar costumes e tradições religiosas, teremos criado um ídolo que não passa de uma projeção de nós mesmos. A rebelião, de fato, não está direcionada ao Deus criador, mas a esse ídolo que não passa de uma projeção dos desejos humanos. No fundo, o ser humano está em rebelião contra a si mesmo.

O povo não conhece si mesmo

A projeção dos desejos sobre deuses fabricados e a rebelião contra essas falsas divindades são provas de que o ser humano não se conhece. Essa é a causa dos muitos conflitos que compuseram a história da humanidade, pois o ser humano deseja ser servido e ser adorado como um deus. Quando esse desejo não é satisfeito pelo outro, os que dispõem de mais recursos coercitivos, sejam financeiros, políticos ou militares, obrigarão os demais a se curvarem. Em todo caso, isso acontece porque o ser humano esqueceu quem ele é, esqueceu quem Deus é e abandonou o relacionamento com Deus. E o ser humano, como criação de Deus, depende do relacionamento com seu Criador. Portanto, se em determinado momento o ser humano não vive dentro dessa relação, ele perde sua identidade de criatura para viver a falsa identidade de criador.

É por isso que a partir do verso 4 Isaías menciona a ruptura do relacionamento com Deus. O verso 5 nos informa que o povo se achava tão longe de Deus que não se dava conta de estar passando pelo castigo de Deus: "Por que continuam a atrair castigo sobre si? Vão se rebelar para sempre?". Os versos seguintes então nos mostram o estado de alienação do povo: "Sua cabeça está ferida, seu coração está enfermo. Estão machucados da cabeça aos pés, cheios de contusões, vergões e feridas abertas, e não há ataduras nem óleo para dar alívio". O povo estava tão alheio a seu estado diante de Deus a ponto de perder até mesmo a sensibilidade corporal. Essa é uma poderosa imagem para mostrar que o povo de Judá havia abandonado a relação com Deus para se envolver em relações políticas com as nações vizinhas no intuito de obter mais poder e influência naquela região. E, embora essas nações ameaçassem a estabilidade política e econômica de Judá, o povo persistia em seu estado de rebelião contra Deus.

Consequentemente, não somente o povo não conhecia a Deus, como também não conhecia a si próprio e perdia toda a sua sensibilidade. Já não possuía referência de sua identidade. A razão da vida de Judá era o relacionamento com Deus. Se essa relação estivesse rompida, a identidade do povo estaria igualmente comprometida. Tendo perdido sua identidade, o povo tenta tomar a identidade de Deus. Essa é a fonte da rebelião e o motivo do castigo.

Antes, porém, que alguém diga que Deus é um tirano mimado que deseja ser adorado, é necessário ter em mente que existem leis às quais se deve obedecer em qualquer situação. Por exemplo, se nos chocarmos contra um muro dentro de um carro que roda a 180 quilômetros por hora, sofreremos graves consequências. Nesse caso, não podemos dizer que o muro estava irado contra nós, pois assumimos os riscos dessa atitude. As consequências são ainda mais graves quando ignoramos todos os avisos para não dirigir acima de determinada velocidade sob o risco de morte.

O povo de Judá, da mesma maneira, havia sido advertido, mas decidiu agir contra a natureza da criação quando se colocou no lugar do Criador. Com isso, antes mesmo da manifestação da ira de Deus, Judá sofria naturalmente o resultado de sua decisão de deixar sua própria identidade para tomar a do Criador. É por isso que Isaías afirma que os animais são mais inteligentes do que o povo. Eles já teriam parado com sua rebelião logo após a primeira ferida. Mas Judá continuava em sua obstinação mesmo sofrendo terríveis consequências.

Ainda assim, Deus, em sua misericórdia, não permite que o povo seja destruído por suas más decisões. Judá teria se destruído em decorrência de sua vontade de seguir seu próprio caminho. Mas o versículo 9 diz que Deus havia poupado algumas pessoas. Deus poderia ter permitido que Judá se tornasse como Sodoma e Gomorra, mas decidiu poupar seu povo. Desse modo, Deus ensina que não existe vida longe do relacionamento com ele e que a vontade humana destrói a humanidade. As consequências se agravam quando fingimos não entender que os efeitos das más decisões são um meio de retornarmos a nosso relacionamento com Deus. Às vezes, desviamos a atenção sobre outras coisas para não reconhecer que o problema é o nosso desejo de controle e poder. Mesmo em meio a essa teimosia, Deus poupa seu povo das consequências de suas decisões e mostra a esperança de restauração.

Claro que isso não quer dizer que todas as coisas que vão mal em nossa vida são consequências de um distanciamento de Deus. As contingências da vida atingem a todos sem que exista necessariamente uma razão específica para isso. Porém, é verdade que toda vez que tentamos estabelecer nosso próprio caminho à parte da vontade de Deus nós sofremos duras sequelas, e não raro insistimos em nossas próprias ideias a ponto de não sabermos mais quem somos e quem Deus é. Em todo caso, o texto de Isaías nos mostra que Deus quer restaurar seu povo impedindo-o, algumas vezes, de seguir sua vontade autodestruidora.

O povo não conhece a vontade de Deus

Deus chamou Judá de "Sodoma" e "Gomorra" para mostrar a perda de identidade do povo. Aquilo que o povo realizava não refletia mais quem ele era. Por isso Deus afirma também que não suportava mais seus sacrifícios. Deus mesmo os havia instituído, e Deus mesmo agora os rejeitava.[5] Todavia, qual é o sentido e a importância da instituição dos sacrifícios?

Para o povo hebreu, o sacrifício representava um tipo de renúncia que se fazia de algo necessário à vida para lembrar o dom da vida dado por Deus.

---

[5] EICHRODT, *Teologia do Antigo Testamento*, p. 119.

Inicialmente há o sentimento de entrega a Deus sem reservas.[6] Mas o sacrifício não era uma via unilateral, pois Deus se manifestava ao ser humano. Temos aqui a concepção de um relacionamento e uma comunhão sagrada.[7] Àquela altura, contudo, o povo já não pensava nesse aspecto de uma relação com Deus.

Outro elemento fundamental dos sacrifícios era a expiação dos pecados. Além do aspecto básico de sua supressão, a expiação também indicava a compreensão que o ser humano tinha de suas falhas, sua submissão a Deus demonstrando, dessa maneira, a vontade de reparar o mal praticado.[8] Isso quer dizer que o povo deveria reconhecer quem era e quem Deus era por meio de arrependimento sincero e verdadeiro. Assim, ao se reconhecer pecador diante do Deus santo, o povo se tornava consciente das consequências de seu pecado e poderia mudar de atitude. Mas isso só seria possível se houvesse o conhecimento sobre a santidade de Deus e o pecado humano. E isso estava longe de acontecer, ainda que o povo mantivesse a tradição religiosa de oferecer sacrifícios.

Quando lemos esse trecho do profeta Isaías, notamos que a forma e o método dos sacrifícios estavam corretos. A *mise en place* condizia com as normas prescritas pela Lei. Deus não questiona, em momento al-

---

[6] Ibid., p. 122
[7] Ibid., p. 130.
[8] Ibid., p. 135.

gum, a forma como se realizavam os sacrifícios. Ainda assim, tudo isso lhe era repugnante, pois o povo havia esquecido que, antes dos sacrifícios, Deus requer a justiça. Cabe lembrar que aqui o conceito de justiça não está ligado à definição do que conhecemos hoje como direito. Justiça, no contexto hebraico, é o relacionamento correto dentro dos parâmetros da Lei de Deus. Por isso, podemos afirmar que a justiça da qual fala o profeta Isaías se caracteriza pelas ações concretas em favor das pessoas vulneráveis da sociedade. Isaías mostra que as ações para a realização dos sacrifícios a Deus de nada valem se quem as realiza não ama concretamente seu próximo. Dito de outro modo, não podemos realizar sacrifícios ao Deus da vida, se consideramos que nosso próximo está morto para nós.

O povo de Israel não conhecia a Deus. Por isso, perdera sua identidade. Ao perder sua identidade, não sabia mais qual era a razão de sua existência e a vida não tinha mais valor. Em Isaías 1.13, observamos que o problema não estava relacionado à forma ou ao método. O verdadeiro problema é que o povo havia perdido a noção do que era o culto a Deus e o significado dos sacrifícios. Tendo perdido sua identidade de criaturas e não criadores, o povo hebreu se achava superior aos demais povos por realizarem tais rituais.

Deus, entretanto, é rico em misericórdia e oferece ao povo uma oportunidade de restabelecer sua identidade e relação com ele. Por isso, Isaías exorta o povo para que se lave e se purifique. É necessário que o povo consiga se reconhecer novamente. Com isso, estará apto para fazer o que deve fazer, de acordo com o verso 17: "Aprendam a fazer o bem e busquem a justiça. Ajudem os oprimidos, defendam a causa dos órfãos e lutem pelos direitos das viúvas".

Observamos que a consequência da perda de nossa identidade é a apropriação de uma outra identidade que não nos pertence. A perda da identidade se revela pela inutilidade das ações praticadas e pela ausência de sentido de nossa vida.[9]

Mas como recuperar a identidade? O que quer dizer, na prática, os imperativos "Lavem-se e limpem-se!" do verso 16? Deus nos pede que nos arrependamos. O arrependimento se caracteriza pelo desejo sincero de não se distanciar da relação com Deus. Essa relação encontra seu fundamento na Palavra de Deus. Enquanto vivermos de acordo com a Palavra de Deus, teremos uma relação com ele. Além disso, Isaías mostra que devemos assumir as consequências de nossos erros. A tomada de consciência faz parte da construção de nossa identidade, pois teremos a real percepção de que não somos deuses inerrantes, mas humanos passíveis de erro. Devemos aceitar quem realmente somos, daí a necessidade do arrependimento.[10] É necessário que tenhamos consciência de nossa situação, pois do

---

[9] ROCHEDIUE, *Psicologie et vie religieuse*, p. 187.
[10] Ibid., p. 219.

contrário será impossível distinguir a santidade e a misericórdia de Deus por nós.

É por esse motivo que Deus nos faz um convite cheio de esperança e de responsabilidade no verso 18: "'Venham, vamos resolver este assunto', diz o SENHOR. 'Embora seus pecados sejam como o escarlate, eu os tornarei brancos como a neve; embora sejam vermelhos como o carmesim, eu os tornarei brancos como a lã. Se estiverem dispostos a me obedecer, terão comida com fartura. Se, porém, se desviarem e se recusarem a ouvir, serão devorados pela espada'". Deus chama seu povo ao diálogo. Deus não condena seu povo logo após o erro. Deus chama seu povo para refletir sobre a condição em que se encontra, pois é preciso que o ser humano reconheça quem ele é a fim de poder compreender a profundidade da esperança e da restauração que Deus lhe oferece. Deus quer perdoar seu povo. Deus quer restabelecer nossa identidade e nosso relacionamento com ele.

Isso depende de nossa compreensão sobre sua santidade, que requer nosso arrependimento. Da mesma forma, sua misericórdia nos chama à responsabilidade para agirmos com base em nossa identidade por ele restaurada.

6
Como restaurar a relação com Deus

Que podemos apresentar ao S‍enhor?
   Devemos trazer holocaustos ao Deus
      Altíssimo?
Devemos nos prostrar diante dele
   com ofertas de bezerros de um ano?
Devemos oferecer ao S‍enhor milhares de
      carneiros
   e dez mil rios de azeite?
Devemos sacrificar nossos filhos mais velhos
   para pagar por nossos pecados?
Ó povo, o S‍enhor já lhe declarou o que é bom
   e o que ele requer de você:
que pratique a justiça, ame a misericórdia
   e ande humildemente com seu Deus.

Miqueias 6.6-8

A restauração de nossa identidade está intimamente ligada ao que Deus requer de nós. Porém, o conflito entre a nossa vontade e a vontade de Deus para nós é a causa do rompimento de nossa relação com ele. O rompimento se dá porque queremos que nossa vontade prevaleça sobre quaisquer vontades, inclusive a de Deus. Nesse caso, como vimos, tendemos a repetir algumas ações, sem ter consciência das razões pelas quais as praticamos, e entramos numa espécie de "piloto automático". O ser humano tem a capacidade de agir sem necessariamente ter plena consciência do que está fazendo. Podemos citar, por exemplo, a mudança de marcha do carro. Nós o fazemos quase que automaticamente, sem prestar muita atenção. Isso nos permite dedicar atenção às tarefas mais urgentes ou que requerem mais cuidado. O problema é quando esse modo de agir se reproduz em nossa relação com Deus. Então, o que devemos fazer quando nosso relacionamento com ele entra no modo automático? Dito de outra maneira, o que fazer quando realizamos determinadas ações em nome de Deus, sem saber necessariamente por que as estamos fazendo?

Nós sabemos, ou deveríamos saber, que nossos interesses conflitam com os interesses de Deus. Quando nos esquecemos disso, a tendência é de apenas desempenharmos um papel sem nos envolver pessoalmente nessa relação. Assim, se o ser humano não está consciente desse conflito de interesses, ele não prestará atenção a tal perigo e agirá de acordo com sua tendência natural. É então que a vida com Deus se reduz a costumes e ritos religiosos.

Podemos identificar esse conflito de interesses e o consequente modo automático da relação com Deus no texto acima do profeta Miqueias. Antes, porém, de entrarmos nas considerações do texto em si, precisamos compreender o que estava acontecendo no tempo em que o profeta registrou sua profecia. Miqueias exerceu seu ministério em Judá, o reino do sul, durante o século 8 a.C. Naquela época, vivia-se um período social e político de profunda instabilidade, pois após a tomada de Samaria em 722 a.C. e de Jerusalém em 701 a.C. por Senaqueribe da Assíria, o território de Israel foi amputado e colocado sob o sistema de suserania, com graves consequências, inclusive religiosas. Além disso, a injustiça social imperava sob a anuência da aristocracia de Jerusalém.[1] De fato, na primeira metade do século 8 a.C. o rei Uzias obteve grande sucesso militar que gerou um período de prosperidade econômica apenas para uma minoria. Isso propiciou a formação de uma nova classe de negociantes em Israel e a consequente separação social.[2]

Os comerciantes ricos compravam as terras que pertenciam a todo o povo de acordo com os registros de separação de terras no livro de Josué. A terra era o símbolo visível e concreto da identidade do povo em relação a Deus, pois está intimamente ligada com o cumprimento da promessa que fora feita a Abraão, o patriarca. Por isso, a venda dessas terras representava a

---

[1] CAZELLES, *Introduction critique à l'Ancien Testament*, p. 376.
[2] HILL e WALTON, *Panorama do Antigo Testamento*, p. 560.

anulação do direito sagrado que celebrava a bênção de Deus para todo o seu povo.

Apesar de todos esses problemas, os rituais religiosos continuavam a ser celebrados, sem que houvesse necessariamente um relacionamento pessoal com Deus. Em Miqueias 3.11, temos um exemplo da atividade dos profetas nessa época que ofereciam seus oráculos em troca de dinheiro: "Os profetas só profetizam quando são pagos, e, no entanto, todos afirmam depender do Senhor. Dizem: 'Nenhum mal nos acontecerá, pois o Senhor está em nosso meio'". O problema é que os rituais e a vida religiosa estavam completamente separados da vida cotidiana e do padrão que Deus estabelecera em sua Palavra. Os interesses pessoais de riquezas e poder conflitavam com o interesse de Deus em que cada pessoa que faz parte de seu povo ame o seu próximo. Assim, quando estamos desconectados do padrão de Deus para nós, estamos desconectados de Deus. Consequentemente, não há mais nenhuma relação, pois ela foi rompida.

Entretanto, o povo continuava a realizar suas cerimônias religiosas, ainda que rituais religiosos não possam reparar a ruptura do relacionamento com Deus. Isso quer dizer que atos cúlticos externos, alienados da vida cotidiana, nada valem diante de Deus. Como, então, sair desse estado de automatismo religioso? Como conectar os atos de culto com a vida fora do ambiente religioso formal? O texto de Miqueias 6.6-8 nos mostra três dispositivos para desligarmos o modo religioso automático em nossa relação com Deus.

Elimine o senso de justiça própria

O ser humano, em geral, tem a necessidade de se sentir digno das coisas. Como disse Nietzsche: "Quem realmente fez sacrifício sabe que quis algo em troca e recebeu — talvez algo de si em troca de algo de si —, que cedeu aqui para ter mais ali. Talvez para ser mais ou sentir-se mais".[3] Em última análise, isso oferece uma falsa impressão de poder. Vemos o mesmo fenômeno no que diz respeito à vida religiosa, pois o ser humano se sente digno do favor dos deuses e, por extensão, de si mesmo, quando ele realiza ritos religiosos ou sacrifícios. Nietzsche interpretou a fonte desses atos como a "vontade de ser senhor". Segundo ele, onde há sacrifício, serviço e olhar de amor existe a vontade de ser senhor e usurpar o poder. Ele fundamenta sua conclusão na observação de que onde existe um ser vivo existe a vontade de domínio.[4] Assim, o sacrifício é um meio para se chegar ao domínio sobre os deuses, visto que os sacrifícios visam também a manipulação sobre sua vontade. Aquele que controla a vontade dos deuses se torna poderoso diante das demais pessoas. Por conseguinte, a opressão que essa pessoa exerce sobre as

---

[3] Nietzsche, *Além do bem e do mal*, p. 157.
[4] Nietzsche, *Assim falava Zaratustra*, p. 121.

demais está justificada, uma vez que ela age em nome da divindade. Nesse mesmo registro de pensamento, o sacrifício constitui uma forma de compartilhar o poder dos deuses, pois, de certa maneira, houve esforço e mérito para obtê-lo.

Em Miqueias 6.6, observamos uma justa preocupação com o culto em um primeiro momento. Entretanto, como dito anteriormente, Israel passava por um momento de turbulência política e social. Além disso, havia pessoas que se aproveitavam da situação para enriquecer à custa dos pobres. A estrutura religiosa os ajudava a manter esse quadro de injustiça. Daí a preocupação excessiva, no verso 7, com a quantidade de holocaustos a ser oferecidos. Afinal, um coração puro é muito mais difícil de ser visto, e sem um sistema religioso eficiente não haveria a possibilidade de extorquir os mais pobres e vulneráveis. Tal grandiosidade nos sacrifícios coagiria Deus a dar às pessoas o que elas pediam por meio do mérito. O mérito é mostrado nesse texto pelos verbos "apresentar", "prostrar" e "oferecer", todos eles associados aos esforços do povo em realizar alguma coisa para Deus. Notamos aqui que os meios do culto são todos obtidos pelos esforços e méritos do "eu". Para obter o perdão dos pecados e as bênçãos divinas, o povo estava pronto para sacrificar até os próprios filhos. A vida dos filhos não era mais importante do que manipular a vontade divina em benefício próprio.

Outra constatação nesse texto é que Deus está sempre distante, no alto, o que sinaliza ainda mais a desconexão entre o povo e Deus. Embora a atitude de prostrar-se diante de Deus indique um ato de devoção, o povo não crê que Deus está próximo. Quando não se crê na proximidade de Deus, ocorre uma ruptura entre a vida cotidiana e a vida religiosa.

Assim, Miqueias critica e aponta o erro do povo em sua busca pelos próprios meios de justificação. Ele reprova a atitude de autojustificação do povo diante de Deus. Na verdade, a autojustificação não passa de um simples alívio de consciência que em nada muda a situação existencial humana. Nós observamos que o texto apresenta todos os elementos válidos e prescritos pela Lei para a realização dos sacrifícios. Mas Deus não está interessado tanto na forma quanto se interessa pelo coração, pela intenção sincera de quem dele se aproxima.

O ser humano não pode dar coisa alguma para Deus a fim de obter seu favor. Por isso, atos religiosos desconectados de uma relação cotidiana com Deus nada podem fazer por nós. Mesmo que os meios que empregamos para tentar convencer a Deus sejam válidos, não podemos nos autojustificar diante dele. Enquanto Deus estiver distante, no alto, os atos religiosos serão apenas uma parte da cultura local. O resultado é que não haverá nenhuma busca por uma relação pessoal, íntima com Deus, ainda que a crença e os padrões religiosos com seus costumes e ritos continuem a ser realizados. Todavia, como já vimos, a ausência de uma relação pessoal com Deus leva o ser humano a querer tomar o lugar de Deus. E quando o ser humano toma o lugar de Deus o resultado é aquele apresentado pelo profeta Miqueias em 6.10-12: "Que direi sobre as casas dos perversos, cheias de tesouros obtidos pelo engano? E quanto à prática repulsiva de calcular cereais com medidas falsas? Como posso aceitar seus comerciantes que usam balanças e pesos desonestos? Os ricos entre vocês enriqueceram por meio de extorsão e violência. Seus habitantes estão acostumados a mentir; sua língua não consegue mais dizer a verdade". Em outras palavras, ao tomar o lugar de Deus, o ser humano presume que todas as coisas lhe pertencem e que todos os outros devem servi-lo.

Nós somos a oferta que Deus quer

A preocupação excessiva com a forma e a quantidade das ações rituais e religiosas nos desvia a atenção da essência de Deus e seu caráter para enfocar nossas próprias ações e como elas afetarão nosso próximo. Esse cenário evolui para uma disputa de poder e controle por meio da religião. Por fim, já não se trata de Deus, mas de nós mesmos. E isso é idolatria.

Miqueias continua sua crítica mostrando que o povo estava errado ao supor que fosse desejo de Deus que o povo preparasse, com esforços exagerados, todo o ambiente para os sacrifícios. Havia uma grande preocupação com a forma do culto, os holocaustos, os sacrifícios e a prostração de joelhos diante de Deus.

Entretanto, não havia nenhuma preocupação com a disposição interior do coração ou as motivações para a realização do sacrifício. Na verdade, para o povo importava mais mostrar poder e controle mediante a grandiosidade do espetáculo do que um coração sincero e íntegro.

Em Miqueias 6.7, o profeta revela a má intenção no desejo de provocar uma espécie de comoção social pela quantidade exagerada de ofertas. Esse exagero deixa clara a tentativa de manipular a vontade divina para o benefício do ofertante. Além do mais, esse ato elimina a graça de Deus, pois Deus se torna escravo da pessoa que pôde realizar tal esforço. Mas o que dizer daqueles que não podiam fazer a mesma coisa? Deus é o Deus dos que podem mais? Nesse caso, o ser humano idealiza a divindade segundo seu próprio modo de atuação, pois Deus é reduzido a uma entidade sujeita a uma relação de causa e efeito. Não há nenhum relacionamento pessoal. Então, quanto mais ofertas realizadas, mais resultados positivos o ofertante terá e mais poder ele mostrará diante do grupo.

A impessoalidade do relacionamento com Deus atinge um limite impensável: o sacrifício humano. Deus o havia proibido expressamente, mas a ânsia de obter o favor divino e de mostrar uma falsa piedade diante dos demais são os elementos característicos da relação de domínio do outro por meio da religião. A vida do próximo não tem nenhum valor intrínseco a não ser a subserviência. Essa característica se reflete no sacrifício humano, em que a vida do outro serve apenas como meio para obtenção de poder pelo ofertante. Em suma, o sacrifício não é para Deus, mas para si mesmo, uma vez que o ofertante tomou o lugar de Deus e fez de si próprio divino.

Essa impessoalidade no relacionamento com Deus pode se manifestar quando desejamos cantar mais, orar mais, ler mais a Bíblia com a única intenção de que Deus olhe nosso esforço e nos conceda aquilo que desejamos. A exemplo do que ocorreu com o povo de Israel, não há um desejo pelo relacionamento com Deus, mas pelo que Deus teria a oferecer. Com isso, o ofertante sente-se na obrigação de oferecer cada vez mais, pois seu desconhecimento de Deus o faz crer que Deus esteja interessado na quantidade de nossas ações. E, como já enfatizamos, quanto mais ofertas feitas a Deus diante do grupo ao qual se pertence, mais prestígio o ofertante adquire, e mais poder e domínio sobre os demais. Uma vez que ele não está interessado no relacionamento com Deus, sacrifica também seu relacionamento com o próximo.

A ânsia pelo poder e pelo domínio impede a compreensão de que a única oferta que Deus requer somos nós mesmos. Não se trata da quantidade dos esforços realizados, nem do que Deus pode nos dar, mas de nosso relacionamento pessoal com ele. É por essa razão que Paulo, escrevendo à igreja em Roma, afirma: "Portanto, irmãos, suplico-lhes que entreguem seu corpo a Deus, por causa de tudo que ele fez por vocês. Que seja um sacrifício vivo e santo, do tipo que Deus considera agradável. Essa é a verdadeira forma de adorá-lo" (Rm 12.1).

Da fé abstrata à compreensão concreta

A oferta de sacrifício a Deus estava relacionada principalmente com a ideia da soberania de Deus, a comunhão com ele e com os demais que participavam do culto. O ofertante reconhecia a majestade de Deus bem como sua união com o povo de Deus.[5] Assim, o motivo que deveria orientar todas as ações daqueles que pertenciam ao povo de Deus era o amor a Deus e ao próximo. O efeito prático primário deveria ser a obediência às leis sem buscar nenhuma vantagem pessoal.[6] A obediência às leis, longe de ser um método de "engessamento" da vida, era a oportunidade e o meio para o povo de Deus refletir sobre sua própria vida e suas relações com o Criador e a criação. A reflexão constante, a partir das leis de Deus, permitiria ao povo caminhar para o aprofundamento dessas relações. A essência da existência humana está no desenvolvimento de suas relações com o Criador e com toda a criação.

Entretanto, quanto mais o povo se afastava de uma relação pessoal e honesta com Deus, mais se distanciava da compreensão das leis de Deus para sua

---

[5] FOHRER, *História da religião de Israel*, p. 271.
[6] BONSIRVEN, *Le judaïsme palestinien au temps de Jésus-Christ*, p. 47.

vida cotidiana. Consequentemente, se não há o entendimento sobre o significado das leis, não há mais reflexão sobre si mesmo, nem sobre o estado do relacionamento com Deus. Nesse ponto, a Lei perde sua eficácia, pois as palavras são tomadas apenas como subterfúgio para a realização dos desejos e das intenções do intérprete da Lei. Não há mais reflexão crítica sobre si mesmo, mas apenas a manipulação do texto para que Deus sirva a propósitos pessoais e projetos de poder e dominação.

Nos tempos de Miqueias, o povo de Israel havia paralisado sua reflexão sobre o significado das leis de Moisés de tal forma a não pensar mais na razão pela qual os sacrifícios eram realizados. Assim, em vez de compreender os efeitos mortíferos do pecado em sua relação com Deus e com o próximo, o povo fez das leis puro costume religioso. O culto tornou-se elemento cultural e um meio de manipular Deus. O significado simbólico do sacrifício foi esvaziado para converter-se em ferramenta de controle social.

A solução para essa falta de consciência sobre o papel da Lei de Deus na vida cotidiana daqueles que desenvolvem um relacionamento com ele está no verso 8. Em vez de tentar manipular Deus, o ser humano deve prestar atenção ao que já sabe. A expressão "o SENHOR já lhe declarou" remete à ideia de que o ser humano não é inocente quando tenta manipular o divino em benefício próprio. Esse texto mostra que o ser humano não tem capacidade de viver de maneira a realizar o que é bom. Por isso, o parâmetro do que é bom só pode vir de Deus. É interessante notar que o verbo traduzido por "declarou" tem o significado, em hebraico, de anunciar alguma coisa que não era compreendida.[7] Até então, o povo ainda não tinha compreendido a razão dos sacrifícios, mas continuava a realizá-los. Outro ponto que merece destaque é a utilização da expressão "Ó povo". De fato, Miqueias desperta a consciência humana sobre sua mortalidade. Para isso, usa aqui o termo *adam* em hebraico, que quer dizer ser humano mas cuja origem é a palavra terra, de onde o ser humano foi criado. Portanto, ele tem uma origem, e se ele tem uma origem ele não é infinito como Deus, o Criador.

Assim, nós temos nesse texto uma afirmação revolucionária. O ser humano é a única criatura que possui a consciência de quem ele é. O ser humano tem a faculdade de refletir sobre si mesmo e seu papel no mundo como criatura.[8] Compreender-se como criatura deve levá-lo a pensar sobre seu Criador e sobre suas relações com ele. Saber-se criatura deve levá-lo a pensar que seu valor não está nas coisas que pode fazer, mas no fato de que Deus quis sua existência. Por isso, quando o ser humano deseja oprimir ou manipular seu próximo para provar seu valor ou sua existência ele nega a evidência da criação de Deus e toma seu lugar.

---

[7] Strong's Hebrew: 5046, נָגַד (*nagad*), <https://biblehub.com/hebrew/5046.htm>. Acesso em: 13 de jan. de 2022.

[8] RICHELLE, *Comprendre Genèse 1—11 aujourd'hui*, p. 58.

De fato, reconhecer-se criatura deve levar o ser humano a reconhecer seus limites quando ele é colocado diante de Deus na realização do culto.

É o próprio Deus que pede a seu povo uma tomada de atitude. A tomada de atitude ultrapassa em muito a mera realização de um ritual, pois é necessário que o ser humano se comprometa com Deus e seu próximo para além do momento religioso do culto. A relação com Deus começa pela tomada de consciência de quem o ser humano é e de quem Deus é. Após o despertar da consciência, o ser humano não deve paralisar o significado da relação com Deus em apenas um momento religioso. O comprometimento de alguém que desenvolve uma relação com Deus é demonstrado pela justiça, fidelidade e humildade. Além disso, o texto de Miqueias traz a ideia de um percurso constante e progressivo com Deus. Em outras palavras, o relacionamento com Deus excede os rituais religiosos.

Mais uma vez, o ser humano não pode controlar Deus por meio de rituais religiosos, pois ele é uma criatura mortal e finita. O culto existe para que tenhamos consciência de quem somos e de quem Deus é. Nosso louvor e adoração são o resultado dessa tomada de consciência. Ao nos darmos conta de quem de fato somos e de quem Deus é, nossa única resposta aceitável é viver de acordo com a Palavra de Deus.

A Palavra de Deus diz que devemos praticar a justiça. O termo habitualmente traduzido por justiça em português vem da raiz de um termo hebraico que significa decidir.⁹ Assim, o que Deus pede ao ser humano é que ele decida ser quem ele realmente é. Isto é, uma criatura que deve desenvolver um relacionamento pessoal com seu Criador e não tomar o lugar dele.

Do mesmo modo, a Palavra de Deus afirma que o ser humano deve amar a misericórdia. Isso implica uma atitude voluntária de realizar o que é bom para o próximo. A consciência do ser humano deve ser despertada para além da realização de atos mecânicos de rituais religiosos, progredindo para o desenvolvimento da vontade pelo bem do outro.

Por fim, a Palavra de Deus pede que o ser humano caminhe humildemente com Deus. É interessante notar que o termo humildade em hebraico está ligado diretamente com o ato de afligir a alma.¹⁰ Apenas aquele que aflige sua alma consegue ser humilde. Por quê? Como vimos, o ser humano tem a tendência de tomar o lugar de Deus, fazendo de si mesmo uma divindade. Por isso, ele deve constantemente afligir a alma para que seja despertada sua consciência sobre o conhecimento de si mesmo como criatura e sobre o conhecimento de Deus como Criador. A aflição da alma é necessária, pois o ser humano não cede facilmente seu lugar no mundo. David Hume afirmava que existem

---

⁹Strong' Hebrew: 8199, שָׁפַט (*shaphat*), <https://biblehub.com/hebrew/8199.htm>. Acesso em: 13 de jan. de 2022.

¹⁰Strong's Hebrew: 6031, הָנָע (*anah*), <https://biblehub.com/hebrew/6031.htm>. Acesso em: 13 de jan. de 2022.

ideias inatas. Essas ideias inatas são, na verdade, fortes percepções que nascem com o ser humano. Entre outras paixões, o ressentimento é uma dessas fortes percepções que fazem parte da natureza humana.[11] O ser humano se ressente de não ser Deus, ou de não poder controlar as situações e pessoas à sua volta. Consequentemente, ao se reconhecer menor do que realmente é, sofre uma crise de identidade cuja única saída é aceitar quem ele é e onde ele foi colocado no mundo. Por isso Miqueias insiste em que caminhemos a todo tempo com Deus para além do momento religioso de culto, pois a tendência de tomar o lugar de Deus não desaparece automaticamente, de uma vez por todas. Devemos lutar contra essa tendência até o fim de nossa vida, afligindo constantemente nossa alma.

---

[11] HUME, *Resumo de um tratado da natureza humana*, p. 49.

7
Da independência à reconciliação

Volte, ó Israel, para o Senhor, seu Deus,
  pois seus pecados causaram sua queda.
Tragam suas confissões e voltem para o
  Senhor.
  Digam-lhe:
"Perdoa nossos pecados e recebe-nos com
  bondade,
  para que possamos oferecer-te nossos
  louvores.
A Assíria não pode nos salvar,
  nossos cavalos de guerra também não.
Nunca mais diremos aos ídolos que fizemos:
  'Vocês são nossos deuses'.
Somente em ti
  os órfãos encontram misericórdia".

"Então eu os curarei de sua infidelidade
  e os amarei com todo o meu ser,
    pois minha ira desaparecerá para sempre.
Serei para Israel
  como o orvalho refrescante.

Israel florescerá como o lírio;
  lançará raízes profundas no solo,
  como os cedros do Líbano.
Seus ramos se estenderão como belas
    oliveiras,
  perfumados como os cedros do Líbano.
Meu povo viverá novamente à minha
    sombra;
  crescerá como o trigo e florescerá como a
    videira.
Seu aroma será agradável,
  como o dos vinhos do Líbano.

"Ó Israel, fique longe dos ídolos!
  Sou eu que respondo às suas orações e
    cuido de vocês.
Sou como a árvore sempre verde;
  todos os seus frutos vêm de mim."

Quem for sábio, entenda estas coisas;
  quem tiver discernimento, ouça com
    atenção.
Os caminhos do Senhor são retos,
  e neles andam os justos.
Mas, nesses mesmos caminhos,
  os pecadores tropeçam e caem.

Oseias 14.1-9

O ser humano quer ser independente. Quer construir seu próprio caminho por seus próprios meios. Quer provar seu valor, pois não entende que seu valor está fundamentado no fato de ter sido criado por Deus. Ao querer construir o próprio caminho alienado do conhecimento de sua criação por Deus, ele toma o lugar de Deus a fim de criar seu próprio universo. Ao buscar independência, rompe todas as suas relações com Deus, com o próximo e com o ambiente onde vive. Seu universo não suporta outros deuses além de si mesmo. Deus criou a humanidade para ter um relacionamento pessoal com ela. Deus criou a mulher a partir do homem para mostrar a interdependência um do outro, e os dois de Deus. Homem e mulher, contudo, não se viram interdependentes, mas concorrentes um do outro, e ambos separados de Deus. Deus viu que não era bom que o ser humano estivesse só, mas o ser humano desejou estar só, isolado dos demais. Com efeito, o ser humano se colocou no lugar de Deus quando decidiu que estaria só, contrariando o desígnio de Deus.

Após essa tragédia sem precedentes, Deus coloca a humanidade diante de sua má escolha. Deus desperta a consciência dos seres humanos sobre sua nova situação em relação ao Criador, em relação um ao outro e em relação ao ambiente em que vivem. A consciência de estarem sós, como eles quiseram, colocou o homem e a mulher diante de sua limitação, o que se evidenciou em sua nudez um diante do outro. Ali, os primeiros seres humanos criados confrontaram-se com sua independência, pois viram-se completamente separados um do outro, quando na verdade eles eram a mesma carne e o mesmo sangue. A partir de então, o ser humano precisa lutar para viver em harmonia com seus semelhantes, pois sabe que precisa do outro, mas não quer reconhecer esse fato. Essa é a origem de todo conflito e de toda ruptura na história da humanidade.

Deus não tinha nenhuma necessidade de criar o ser humano, mas, se ele o fez em sua total liberdade como Senhor soberano, foi para compartilhar seu amor com sua criação. Deus ama sua criação. Todo ser que ama quer agir em favor do objeto de seu amor.[1] Além disso, o amor de Deus é totalmente espontâneo. Isso significa que o ser humano nada pode fazer para motivar esse amor. Deus ama o ser humano por ser sua criação, por ser extensão de seu próprio amor, e não porque o ser humano tenha feito algo extraordinário para merecer esse amor.[2] Por isso Deus lhe apresenta uma oferta irrecusável, que é a reconciliação pelo arrependimento. Isto é, Deus chama o ser humano a uma tomada de consciência sobre quem ele é. O texto de Oseias 14.1-9 nos mostra como Deus apresenta essa oferta a seu povo.

Na época, o povo do reino do norte, Israel, vivia um breve período de prosperidade no século 8 a.C. em virtude da submissão do rei Oseias (não confundir com o profeta) à Assíria. Esse acordo proporcionou

---

[1] FERREIRA, *Antologia teológica*, p. 255.
[2] Ibid., p. 379.

um momento de alívio nacional e uma esperança quando as tropas estrangeiras invasoras bateram em retirada.[3] Entretanto, para o profeta Oseias, a melhoria da situação socioeconômica não era motivo para Israel celebrar. Ao contrário, de acordo com o profeta, o reino do norte deveria se arrepender da idolatria e do consequente caos social que havia se criado. Por isso, nesse último capítulo de seu livro, Oseias mostra que as falhas históricas de Israel devem motivar o povo a se arrepender.[4]

O ser humano é culpado

Oseias começa esse último trecho de suas profecias com um forte apelo. Em hebraico, o verbo "voltar" em 14.1 tem um sentido que vai além de meramente retomar um caminho anterior. Ele evoca a noção de arrependimento e de ruptura. Com efeito, Deus demanda o mesmo procedimento que o povo havia tomado em seu relacionamento com ele. Isto é, da mesma forma que Israel rompera o relacionamento com Deus, deveria agora romper com a idolatria a si mesmo. Oseias recorre a um jogo de palavras para mostrar que o povo de Israel era especialista em romper acordos. Ora, se havia rompido o relacionamento com Deus, não seria difícil romper com as decisões que tomara até então.

---

[3] Pinto, *Foco e desenvolvimento no Antigo Testamento*, p. 696.
[4] Ibid., p. 705.

Dito de outra maneira, Deus pede ao povo que rompa a ruptura com ele. Isso se daria, na prática, pela tomada de decisão de retornar.

Assim, o arrependimento não consiste somente em uma emoção profunda, mas igualmente em uma decisão seguida de ação. Trata-se da decisão de romper com a realidade atual, fruto de uma má decisão, e da ação de voltar para o estado anterior. Claro que algumas decisões mudam completamente o curso de nossa vida, e por vezes voltar ao estado anterior não é mais possível. Entretanto, mesmo que seja inviável retornar à condição anterior, isso não anula a necessidade de decidir abandonar a realidade presente. No caso de Israel, embora a situação atual fosse catastrófica, Oseias indica uma grande esperança para o povo. "Volte, ó Israel, para o Senhor, seu Deus". Isso quer dizer que, apesar de tudo o que se passara, Israel ainda era o povo de Deus.

Entretanto, Deus não pede o arrependimento ao povo sem antes destacar a razão pela qual o povo deveria se arrepender. O versículo 1 aponta que o pecado é a causa da queda de Israel. Deus não apenas não se deixa manipular, como também define os termos da correta relação do povo com ele. O estabelecimento da relação entre Deus e seu povo pode ser demonstrado nesse texto pelo termo "pecado", cuja origem é o hebraico *avon*. Isso é significativo, pois *avon* tem o sentido básico de comportamento desonesto, perversão ou iniquidade.[5] O uso de *avon* para descrever o pecado é diferente do termo mais comum, *hatta't*, que quer dizer desviar-se ou errar o alvo. O verbo *avon* carrega um sentido de movimento, como girar ou torcer alguma coisa. O uso desse termo implica a consciência que o agente tem de sua culpabilidade ao executar tal movimento.[6] A culpa é, então, o principal efeito de *avon*.[7] Portanto, Deus coloca o ser humano diante de sua responsabilidade ao lhe evocar a culpa por seu comportamento perverso.

Em todo caso, é interessante notar que Oseias, ao tratar do efeito do pecado, não usa o verbo cair no sentido de ficar prostrado,[8] como se este fosse seu estado atual e permanente. Na verdade, Oseias utiliza o verbo tropeçar, que em hebraico traz a ideia de uma fraqueza nas pernas, especialmente no calcanhar, que provoca o tropeço e pode causar a queda.[9] O que se deve entender pela origem etimológica desse termo, e pelo contexto histórico de Israel, é que embora sua situação esteja muito ruim por sua própria culpa,

---

[5] Harris et al., *Dicionário internacional de teologia do Antigo Testamento*, p. 1086.

[6] Eichrodt, *Teologia do Antigo Testamento*, p. 824.

[7] Harris et al., *Dicionário internacional de teologia do Antigo Testamento*, p. 1087.

[8] Strong's Hebrew: 5307, לָפַנ (*naphal*), <https://biblehub.com/hebrew/5307.htm>. Acesso em: 13 de jan. de 2022.

[9] Strong's Hebrew: 3782, לָשַׁכ (*kashal*), <https://biblehub.com/hebrew/3782.htm>. Acesso em: 13 de jan. de 2022.

trata-se apenas de um tropeço em sua relação com Deus, não constituindo, de forma alguma, um estado permanente de vida. Esse estado transitório na relação de Deus com Israel é observado pela advertência de Deus ao povo para voltar. Se não houvesse mais alternativa, o profeta não teria pronunciado esse discurso. Por isso Deus oferece essa chance, não para condenar o povo, mas para restaurá-lo, muito embora Deus não o exima de sua responsabilidade pelo que fora feito. Dessa maneira, a advertência ao arrependimento está integrada à graça de Deus. Essa graça se destaca ainda mais em vista do não merecimento absoluto do povo.

Como, então, abandonar a ruptura da relação com Deus? Que atitudes tomar a partir de agora? O verso 2 traz a resposta: "Tragam suas confissões e voltem para o Senhor". O povo deve admitir o que fez quando rompeu a relação com Deus, reconhecendo seu erro e voltando para o Senhor. Em seguida, é preciso pedir a Deus que remova toda a iniquidade (*avon*) que a ruptura do relacionamento causara. Apenas Deus pode remover e apagar nossas iniquidades. Entretanto, pedir que Deus remova nossas iniquidades não é suficiente. Na verdade, é preciso mudar de atitude. Nesse texto, a mudança de atitude se caracteriza pelo pedido de aceitação dos louvores do povo, ou conforme o hebraico, a oferta de sacrifício dos lábios do povo. Percebemos, aqui, a mudança de paradigma do sacrifício. Antes o povo oferecia touros, e agora deve apresentar a oferta dos lábios. Essa mudança externa no sacrifício reflete a mudança interior do ser humano, pois os lábios revelam o que está guardado no coração. Em vista disso, podemos verificar que a oferta a Deus vai além de um ato religioso mecânico ou mesmo do conhecimento litúrgico. Além disso, o verbo utilizado para exprimir a oferta dos lábios vem da raiz de um verbo em hebraico que quer dizer completo e terminado.[10] Ou seja, após Deus ter removido nossas iniquidades nós somos restaurados e estamos completos no sentido de ter a integridade restabelecida. Nessa situação podemos oferecer a Deus tudo o que está em nosso coração, isto é, todo o nosso ser.

A oferta dos lábios, ou a oferta integral de nossa vida a Deus, começa pela expressão hebraica "peguem suas palavras" no verso 2. Essa atitude evoca uma tomada de consciência e de decisão diante de Deus. É preciso vir diante de Deus com a decisão tomada e conscientes do que fizemos quando rompemos a relação com Deus. É isso que significa um coração sincero. Um dos resultados da sinceridade do coração é a consciência e reconhecimento de nossos pecados. Enfim, é preciso pensar sobre os resultados do rompimento da relação com Deus. Só podemos pedir que Deus remova nossas iniquidades quando estamos conscientes do que fizemos e de quais foram os efeitos em nossa vida. Afinal, como saberemos que precisamos de perdão, se não

---

[10] Strong's Hebrew: 7999, שָׁלַם (*shalam*), <https://biblehub.com/hebrew/7999.htm>. Acesso em: 13 de jan. de 2022.

sabemos as razões pelas quais o pedimos? O perdão de Deus garante que não seremos mais condenados. Porém, a Bíblia não trata de um perdão que nada nos custa. A reconciliação que Deus nos propõe é irrecusável justamente porque estamos conscientes de que somos culpados. Da mesma maneira, sabemos que Deus nos concede sua graça. É por isso que podemos voltar a ele, e é por isso que podemos pedir-lhe que aceite graciosamente a oferta de nossos lábios.

Assim, a reconciliação proposta por Deus deve nos levar a uma mudança completa de consciência. Não se trata apenas de uma mudança ou decisão emocional. Trata-se do reconhecimento de nossas iniquidades, pois se não estamos conscientes do resultado de nossos pecados, procuraremos Deus por razões más e não experimentaremos sua misericórdia, uma vez que não sentiremos necessidade dela.

O ser humano é incapaz

Em Oseias 14.3-4, o profeta é incisivo quando afirma que o ser humano é incapaz de salvar a si mesmo. Entretanto, poderíamos nos perguntar por que, afinal, o ser humano deveria fazê-lo. Vimos anteriormente que a religião é um meio que a humanidade encontrou para obter poder e sentir-se no controle daquilo que não podia controlar. Podemos afirmar também que o ser humano é incapaz de ser feliz, pois vive em guerra permanente consigo mesmo. Essa guerra tem origem em seus desejos proibidos. A maior expressão desses desejos proibidos é a vontade de ser Deus. Por isso a humanidade criou os sistemas religiosos e seus rituais. Tais sistemas permitem que se crie ilusões para a realização desse desejo.[11] Assim, a salvação reside na libertação desse desejo e, consequentemente, no fim da guerra interna do ser humano. Sozinho e em si mesmo, contudo, o ser humano não é capaz de pôr fim a seu desejo de ser Deus e de controlar tudo o que não pode controlar.

É por essa razão que o profeta Oseias continua seu argumento mostrando que, além da culpa, o povo de Israel também era incapaz de se salvar por seus próprios meios. Então, tendo provocado a tomada de consciência do estado decaído do povo, o profeta evoca também a inutilidade dos acordos humanos quando menciona a Assíria e os recursos do povo de Israel, como os cavalos de guerra. De uma só vez, o profeta desmonta toda a segurança interna e externa do povo. Isto é, do ponto de vista interno, a crença nos ídolos não poderia salvá-lo. E, do ponto de vista externo, os acordos políticos e os materiais de guerra tampouco poderiam livrá-lo.

Consequentemente, Oseias mostra que o povo está fechado em si mesmo e que deve tomar consciência de sua incapacidade. Até então, o povo observava o resultado de seus próprios esforços e dizia a si mesmo

---

[11] ALVES, *O que é religião?*, p. 90-92.

que ele era seu próprio deus. É por isso que o profeta mostra que o povo se encontra em um estado de doença extrema. Um doente, em geral, é incapaz de realizar certas coisas, entre as quais curar-se sozinho. Porém, Oseias também mostra que Deus é rico em misericórdia, e no verso 4 ele mostra que Deus oferece ao povo a cura de que precisa. O verbo traduzido por "curar" pode significar em hebraico algo que purifica ou ainda um retorno ao estado original, uma restauração.[12] A cura, nesse texto, é a cura da infidelidade. Esse termo encontra sua raiz na língua hebraica no ato de virar as costas, no sentido de se desinteressar de algo.[13] O povo havia virado as costas para Deus e estava centrado em si mesmo. A doença do ser humano é a autoidolatria. Portanto, a cura para essa condição da existência humana é o restabelecimento de sua relação com Deus.

A partir do restabelecimento dessa relação, o povo pode experimentar o amor de Deus. Entretanto, esse amor deve ser experimentado em sua plenitude. Daí o profeta Oseias qualificar o amor de Deus como "plenamente oferecido de sua livre vontade".[14] Assim, uma vez que o ser humano é curado da idolatria a si

---

[12]Strong's Hebrew: 7495, אָפָר (*rapha*), <https://biblehub.com/hebrew/7495.htm>. Acesso em: 13 de jan. de 2022.

[13]Strong's Hebrew: 7725, בוש (*shub*), <https://biblehub.com/hebrew/7725.htm>. Acesso em: 13 de jan. de 2022.

[14]Strong's Hebrew: 5071, הָבָדָנ (*nedabah*), <https://biblehub.com/hebrew/5071.htm>. Acesso em: 13 de jan. de 2022.

mesmo e sua relação com Deus é restabelecida, ele se torna completo e é capaz de experimentar o amor de Deus em toda a sua plenitude.

Essa é a razão pela qual o ser humano pode oferecer um sacrifício dos lábios aceitável a Deus. Com efeito, dentro dessa relação sacrificial, o amor de Deus é completo pois sua ira foi desviada. Encontramos aqui um interessante jogo de palavras no texto bíblico. Para afirmar que a ira de Deus foi desviada do povo, Oseias utiliza uma palavra derivada do termo para apostasia. A raiz dessas palavras nos remete à ideia de alguma coisa que voltou a seu estado original. Portanto, Deus pode amar seu povo com todo o seu ser, pois seu estado original não é a ira, mas o amor. Em outras palavras, o profeta diz que Deus apostatou de sua ira. A ironia desse texto reside no fato de que a apostasia do ser humano gerou sua morte, mas a apostasia de Deus gerou vida onde antes havia morte.

Por isso, apenas reconhecer nossa culpa não é suficiente se não reconhecermos, da mesma forma, nossa incapacidade de nos salvarmos por nossa própria força ou método. Isso quer dizer que, uma vez reconhecida nossa culpa, devemos admitir nossa incapacidade de resolver nossa crise existencial. Insistir em resolver nossas angústias, tristezas e conflitos pessoais à nossa maneira nos levará à idolatria e nos afastará ainda mais de Deus. Finanças, força pessoal, saúde, inteligência ou até mesmo nosso sistema doutrinário, tudo o que nos leva a esquecer que Deus está presente em nossa vida é idolatria, pois nos faz pensar que nós ou nossos métodos são suficientes para nos curar. Agimos da mesma forma que o povo de Israel, que continuava a praticar rituais religiosos ou contemplar as obras de suas mãos para se afirmar como seu próprio deus. Entretanto, Deus nos chama para abandonarmos nossa autossuficiência, a fim de que ele derrame livremente seu amor sobre nós. Quando nos encontramos completamente fechados em nós mesmos, a compaixão de Deus é a única coisa que pode nos tirar dali. Uma vez curados dessa doença, estamos prontos para o restabelecimento pleno de nossa relação com Deus.

O ser humano é necessitado

A partir do verso 5, Oseias passa da demolição dos fundamentos internos e externos do ser humano para a reconstrução de seu caráter. A primeira constatação é que essa reconstrução não é obra nossa. A renovação de nossa vida sempre começa com Deus.

A imagem proposta pelo profeta é a do orvalho: "Serei para Israel como o orvalho refrescante". Deus não enviou o orvalho, pois ele mesmo é o orvalho de seu povo. Oseias mostra que Israel se desenvolve somente após a menção do orvalho. De fato, Deus é a fonte que promove o crescimento e o amadurecimento de seu povo. Agora o povo está pronto para compartilhar as bênçãos que recebeu de Deus, pois por seus próprios meios isso era impossível. É necessário, portanto, que tenhamos todas as nossas certezas destruídas e nosso caráter refeito por Deus para que caminhemos com ele. É por isso que no Novo Testamento encontramos a expressão "novo nascimento" ou "nova criatura" para descrever o processo de destruição de nosso ser antes que desenvolvamos um relacionamento pessoal e íntimo com Deus. A destruição de nossas certezas e a reconstrução de nosso caráter vão muito além de uma simples mudança comportamental. O moralismo pode mudar nossas ações externas, mas Deus está interessado na mudança de nosso caráter. Enquanto ações externas e visíveis podem ser mal julgadas, a mudança de caráter, ainda que invisível num primeiro momento, excede comportamentos mecânicos e desprovidos de vida. Nosso comportamento está necessariamente condicionado às circunstâncias externas, mas o caráter reconstruído por Deus permanece inabalável, mesmo que as circunstâncias externas nos forcem a uma mudança de comportamento. Aqui, a imagem que o profeta dá quanto à profundeza da raiz adquire seu sentido completo. A raiz está sólida e confere estabilidade aos galhos, mesmo que estes precisem ser flexíveis para se adaptar a ventos fortes.

O nome que a Bíblia dá a essa estabilidade é fé. A raiz do termo "fé" está ligada à ideia de estabilidade e firmeza. Isso significa que permanecemos na mesma posição em qualquer circunstância. Essa firmeza só é possível graças à mudança do caráter, e não apenas do comportamento. A estabilidade do caráter permite o aprofundamento da relação com Deus, e um Deus que não muda em função das eventualidades da vida. Mesmo que as contingências nos abalem, não seremos derrubados, pois tivemos nosso ser transformado por Deus. Em contrapartida, aqueles que ainda não tiveram suas certezas destruídas e seu caráter transformado cairão e ficarão prostrados. O verbo traduzido por cair em 14.9 indica a condição permanente de estar por terra após um tropeço. Essa é a condição de quem não tem um relacionamento pessoal com Deus, pois, como demonstrado acima, o ser humano não tem condições de erguer a si mesmo.

Por fim, como Deus age para restaurar por completo nosso ser? Para explicar esse processo, voltemos à imagem do orvalho. O orvalho é um fenômeno natural que mantém o frescor da flora do campo. O resfriamento do solo é um dos fatores responsáveis pela produção do orvalho. Assim, foi justamente em um período de grande resfriamento espiritual do povo de Israel que Deus interveio como o orvalho que dá vida à erva do campo. Contudo, o orvalho não é produzido durante os ventos tempestuosos. Ele aparece apenas durante a noite, sem ventos nem nuvens. Do mesmo modo, muitas vezes, a intervenção de Deus vem tranquilamente durante a noite escura de nossa alma para renovar completamente o nosso ser, após uma tempestade. De fato, nós somos curados a fim de sermos para o próximo um canal de cura cuja fonte é o próprio Deus. Os frutos que produzimos não decorrem de nossa própria capacidade, mas da presença de Deus em nós.

Conclusão

Somos constantemente confrontados com nosso desejo de tomar o lugar de Deus. Esse é o princípio da idolatria. A causa de quase todos os conflitos humanos reside no fato de que todos queremos ser deus para dominar sobre o próximo. Contudo, a realidade admite apenas a existência de um único Deus. A história da humanidade é, então, a história da sobreposição de deuses.

A Bíblia proíbe a idolatria mostrando à humanidade que ela foi criada por Deus e que ele é soberano sobre a criação. Sendo Deus o soberano da criação, não está sujeito a ela. Consequentemente, não há nada que o ser humano faça que possa surpreender Deus a ponto de que ele se sinta no dever de realizar algo em seu benefício. A tentativa de manipular a vontade de Deus por meio de qualquer rito religioso é considerada idolatria. E Deus não se deixa manipular. A humanidade é dependente de Deus. Mas isso a assusta, pois o ser humano não gosta de se sentir dependente de alguém. Muito menos alguém que ele não vê. O resultado é a quebra do relacionamento entre Deus e sua criação.

A Bíblia apresenta as razões pelas quais o ser humano deve desenvolver uma relação com Deus e quais são as consequências de não assumir devidamente essa relação. O ser humano deve compreender que não é uma divindade, e que possui limitações. Em seguida, em razão do entendimento dessas verdades, ele é confrontado com a realidade de Deus como o único ser soberano. Esses dois eixos da experiência existencial humana produzirão o que a Bíblia chama de "temor de Deus", isto é, o horror que o ser humano sente ao se observar em toda sua limitação e incapacidade, e em seguida seu maravilhamento ao compreender a soberania de Deus, sua misericórdia e graça diante do orgulho humano.

A reação do ser humano após o "temor de Deus" é a humildade. A Bíblia atesta a mesma raiz entre a humildade e a aflição da alma. O ser humano deve afligir sua alma, pois o orgulho está constantemente rondando seu coração. Deve afligir sua alma, pois compreende que existe apenas um Deus soberano. Esse entendimento, contudo, causa dor, pois o ser humano tem dificuldades em admitir sua incapacidade e fraqueza. Mas o relacionamento com Deus pede a aflição da alma humana e o reconhecimento de sua imperfeição. Dessa forma, o desenvolvimento da relação com Deus só é possível quando o ser humano exercita sua humildade.

Em vista disso, o relacionamento entre Deus e o ser humano deve ser vivido com fé. A fé assinalada pela Bíblia é muito mais que o sinônimo de acreditar em algo. A fé ensinada nas Escrituras está relacionada com estabilidade e firmeza em qualquer circunstância. O ser humano que desenvolve progressivamente uma relação com Deus deve estar seguro de sua incapacidade e convicto de que Deus o amparará mesmo nas piores situações. Uma vez que sabe que nada pode fazer para manipular a ação de Deus, sabe também que sua vida só depende de Deus, e que Deus não está sujeito às contingências da vida. Por isso aquele que tem um relacionamento correto com Deus viverá pela fidelidade de Deus.

Ou, dito de outra maneira: o justo viverá pela fé.

Bibliografia

AGOSTINHO. *A Trindade*. São Paulo: Paulus, 1994.

ALVES, Rubem. *O enigma da religião*. Petrópolis, RJ: Vozes, 1975.

_____. *O que é religião?* São Paulo: Brasiliense, 1981.

ARCHER, Gleason L. *Introduction à l'Ancien Testament*. Saint-Légier: Emmaüs, 1978.

BARTH, Karl. *La théologie protestante au dix-neuvième siècle*. Genève: Labor et fides, 1946.

BONSIRVEN, J. *Le judaïsme palestinien au temps de Jésus-Christ*. Paris: Gabriel Beauchesne, 1935.

CAZELLES, Henri. *Introduction critique à l'Ancien Testament*. Paris: Desclée, 1973.

EICHRODT, Walter. *Teologia do Antigo Testamento*. São Paulo: Hagnos, 2004.

ELIADE, Mircea. *O sagrado e o profano: A essência das religiões*. São Paulo: Martins Fontes, 1992.

FERREIRA, Julio Andrade (org.). *Antologia teológica*. São Paulo: Fonte Editorial, 2005.

FEUERBACH, Ludwig. *A essência do cristianismo*. Petrópolis, RJ: Vozes, 2007.

Fohrer, George. *História da religião de Israel.* São Paulo: Paulus, 1992.

Harris, R. Laird; Archer, Jr., Gleason L.; Waltke, Bruce K. *Dicionário internacional de teologia do Antigo Testamento.* São Paulo: Vida Nova, 1998.

Hill, Andrew E.; Walton, J. H. *Panorama do Antigo Testamento.* São Paulo: Vida, 2006.

Hume, David. *História natural da religião.* São Paulo: Unesp, 2004.

_____. *Resumo de um tratado da natureza humana.* Rio de Janeiro: Paraula, 1994.

Jacob, Edmund. *Théologie de L'Ancient Testament.* Neuchâtel: Delachaux & Niestlé, 1955.

Jung, C. G. *Psicologia e religião.* Petrópolis, RJ: Vozes, 1978.

Kidner, Derek. *Salmos 1—72: Introdução e comentário.* Série Cultura Bíblica. São Paulo: Vida Nova, 1980.

Nietzsche, Friedrich. *Além do bem e do mal.* Porto Alegre: L&PM, 2008.

_____. *Assim falava Zaratustra.* Rio de Janeiro: Saraiva, 2012.

Pinto, Carlos Osvaldo Cardoso. *Foco e desenvolvimento no Antigo Testamento.* São Paulo: Hagnos, 2008.

Platão. *Apologia de Sócrates.* Rio de Janeiro: Nova Fronteira, 2011.

Rad, Gerhard von. *Théologie de l'Ancien Testament.* Genève: Labor et fides, 1957.

Richelle, Matthieu. *Comprendre Genèse 1—11 aujourd'hui.* Charols: Excelsis, 2013.

ROCHEDIEU, Edmond. *Psicologie et vie religieuse*. Genève: Roulet, 1948.

ROSA, Merval. *Psicologia da religião*. Rio de Janeiro: Casa Publicadora Batista, 1979.

SELLIN, E.; FOHER, G. *Introdução ao Antigo Testamento*. São Paulo: Academia Cristã, 2007.

SILVA, Luiz Etevaldo da. "O sentido e o significado sociológico de emancipação." *Revista e-Curriculum*, [S.l.], v. 11, n. 3, p. 751-765, jan. 2014. <https://revistas.pucsp.br/curriculum/article/view/8924/13299>.

WALTKE, Bruce. 2015. *Teologia do Antigo Testamento*. São Paulo: Vida Nova.

WALTON, John H. *Ancient Israelite Literature in Its Cultural Context: A Survey of Parallels Between Biblical and Ancient Near Eastern Texts*. Nashville: Zondervan Academic, 1994.

WALTON, John H.; MATTHEWS, Victor H.; CHAVALAS, Mark W. *Comentário bíblico Atos: Antigo Testamento*. Belo Horizonte: Atos, 2003.

_____. *Comentário histórico-cultural da Bíblia*. São Paulo: Vida Nova, 2017.

WESTERMANN, Claus. *Dieu dans l'Ancien Testament*. Paris: Les Éditions du CERF, 1982.

WOLFF, Hans Walter. *Antropologia do Antigo Testamento*. São Paulo: Hagnos, 2008.

ZILLES, Urbano. *Filosofia da religião*. São Paulo: Paulinas, 1991.

Sobre o autor

Alexandre Miglioranza é pastor da Église Baptiste de Montpellier, na França. É bacharel em Teologia pela Faculdade Teológica Batista de São Paulo e mestre em Teologia pelo Institut Protestant de Théologie, em Montpellier. Integra a equipe Bibotalk desde 2013. É casado com Ana Claudia, com quem tem dois filhos, Bárbara e Eduardo.

Compartilhe suas impressões de leitura,
mencionando o título da obra, pelo e-mail
opiniao-do-leitor@mundocristao.com.br
ou por nossas redes sociais

Esta obra foi composta com tipografia Janson Text
e impressa em papel Avena Soft 70 g/m² na gráfica Assahi